Chères lectrices,

En feuilletant récemment un roman que j'avais adoré dans mon adolescence, j'ai eu la surprise de voir s'en échapper une feuille de chêne séchée, brune et fragile, marque-page improvisé ramassé dans l'herbe du jardin et glissé à la hâte avant de refermer le livre. J'ai pensé alors à tous ces objets que leur fonction première ne destinait pas à finir entre deux feuilles de papier imprimé. Fleurs des champs décolorées, serrées comme dans un herbier. Plume d'oiseau, bien lissée, ramassée sur le chemin… Et toutes sortes de bouts de papier qui rappellent l'instant précis, parfois lointain, où la lecture a été interrompue. Des photos de vacances, des cartes postales, des billets d'entrée dans des musées du bout du monde, des tickets de métro usagés, une liste de courses sortie d'une poche, un petit mot doux envoyé à travers une salle de classe… Mille témoins de notre vie passée, prisonniers de nos bibliothèques et qui attendent le prochain lecteur pour lui livrer leur message d'un autre temps.

Peut-être allez-vous, au cours de vos vacances, découvrir un de ces petits trésors. Il vous accompagnera alors, le temps d'un roman, jusqu'à ce que vous l'abandonniez à votre tour, enfermé dans les pages du livre comme dans un écrin.

Bonne lecture à toutes !

La responsable de collection

Un avenir à construire

VICKIE TAYLOR

Un avenir à construire

AMOURS D'AUJOURD'HUI

*Cet ouvrage a été publié en langue anglaise
sous le titre :*
KEEPING CAROLINE

Traduction française de
JULIETTE BOUCHERY

HARLEQUIN®

est une marque déposée du Groupe Harlequin
et Amours d'Aujourd'hui®
est une marque déposée d'Harlequin S.A.

Originally published by SILHOUETTE BOOKS,
division of Harlequin Enterprises Ltd.
Toronto, Canada

Photo de couverture :
© KEVIN DODGE / MASTERFILE

© 2002, Vickie Spears. © 2003, Traduction française : Harlequin S.A.
83-85, boulevard Vincent-Auriol, 75013 PARIS — Tél. : 01 42 16 63 63
Service Lectrices — Tél. : 01 45 82 47 47
ISBN 2-280-07832-5 — ISSN 1264-0409

Prologue

— Je veux parler à ma femme ! Vous la faites venir, ou je
tue les gosses ! Vous entendez, le flic ? Vous entendez ?

Matt Burkett sauta sur ses pieds, et dut retenir un juron
en heurtant la table basse qui encombrait le compartiment
minuscule alloué au négociateur principal. S'obligeant à
contrôler chaque geste, il avala un cachet contre les aigreurs
d'estomac, le fit passer avec une gorgée de Coca tiède et
ajusta le micro sur son casque.

Depuis près de quatorze heures, le preneur d'otages
était barricadé dans la maison de son ex-femme avec leurs
deux enfants. Chaque fois que Matt parvenait à le calmer,
c'était pour l'entendre exploser de nouveau. Si cela sur-
venait une fois de trop, la situation lui échapperait, et un
malheur arriverait.

— Je suis là, James. Je vous ai dit que je n'irais nulle
part tant qu'on ne serait pas sortis d'affaire. Oui, je vous
écoute, j'entends tout ce que vous dites…

— Je veux parler à ma femme !

La voix au bout du fil grimpait dans les aigus, et Matt
entendait des coups sourds. L'homme s'était remis à
envoyer des coups de pied dans les murs et des coups de
poing dans les portes.

— Faites venir cette garce ! Tout de suite !

Malgré les parasites, Mark entendait les cris terrifiés de la petite Jasmine. Son estomac se convulsa.

— Vous croyez que le fait de tuer vos gosses va vous soulager, James ?

— Si je ne peux pas les avoir, elle ne les aura pas non plus !

Matt étira ses épaules en s'ordonnant de garder son calme. Le preneur d'otages pouvait hurler, trembler, suer tant qu'il le voulait, le négociateur devait garder le contrôle de soi. Et quand il s'agissait de contenir le tumulte, en lui et autour de lui, Matt était le meilleur.

— Vous ne voulez pas que votre ex-femme ait les gosses ?

— Elle m'empêche de les voir ! Elle m'a fermé la porte, elle a une injonction du juge qui m'empêche de l'approcher !

Matt se fit un devoir de confirmer ce que ressentait l'homme auquel il était relié par le plus ténu des fils. C'était le seul moyen de l'atteindre.

— Je reconnais que c'est important, pour vous, de voir vos gosses.

— Bien sûr que c'est important ! Elle a les gosses et, moi, je n'ai rien du tout !

— On se sent seul, sans sa famille, hein ?

Marmottant une phrase inintelligible, l'autre avala bruyamment sa salive. Puis il hoqueta :

— C'est comme de vivre dans le désert, mon vieux ! Et vivre dans le désert, c'est pas vivre du tout !

Il sanglotait, à présent.

— Tu peux pas savoir... De toute façon, tu peux pas savoir...

Pas savoir, lui ? Matt était un expert patenté de la survie dans le désert. Le désert intérieur, bien sûr...

— J'en sais peut-être plus que vous ne croyez...

— Tu as une famille, toi ?

— Plus maintenant.

— Qu'est-ce qui s'est passé ? Une salope t'a quitté, toi aussi ?

Matt cessa de marcher de long en large et s'assit sur le petit banc devant la fenêtre.

— Il y a de ça, oui.

Prudemment, il écarta deux lattes du store. La maison dans laquelle se terrait le preneur d'otages se trouvait un peu plus bas dans la rue. Rien ne bougeait, tout semblait presque paisible.

— Elle a emmené tes gosses ? demanda la voix à son oreille.

Matt laissa le store retomber à sa place.

— Non. Ce n'était pas ça, le problème.

La mort lui avait pris son fils, pas Caroline. Plantant ses coudes sur ses genoux, il se prit la tête à deux mains.

— La mort, c'est du définitif... Vous le savez, James ?

Les gosses suivaient-ils cette conversation, dans la maison silencieuse en bas de la rue ? Avaient-ils peur ? Bien sûr, et bien sûr qu'ils entendaient tout, car James Hampton se servait d'un téléphone à haut-parleur, qu'il ne cessait de poser pour pouvoir aller et venir à sa guise. Les gosses entendaient chaque mot, comme Matt entendait parfois leurs gémissements effrayés. Ils savaient parfaitement ce qui se jouait, et ce qu'ils risquaient.

A son oreille, Hampton renifla.

— Pas plus définitif que ce qu'elle m'a fait. Elle est partie à l'autre bout du pays... On ne peut même pas essayer de régler nos problèmes. Tu sais ce que ça fait à un homme, ça ?

— C'est dur.

Apparemment prêt à s'apitoyer sur le sort de tous les maris bafoués, l'homme demanda :

— Alors, ta femme t'a plaqué, toi aussi ?

Matt haussa les épaules. Oui, Caroline était partie... Mais en un sens, il l'avait acculée au départ.

— Elle est retournée dans sa région, dit-il. Elle a une petite ferme à quelques heures d'ici. Près d'un bourg appelé Sweet Gum. Vous connaissez ?

— Non. Moi, je suis de l'Iowa, tu sais bien.

— Oui, je sais...

Même s'il ne s'en était pas souvenu, toutes les informations qu'on avait pu rassembler sur James Hampton figuraient au dossier posé devant lui.

Le preneur d'otages continuait son raisonnement :

— Toi, au moins, elle n'est pas très loin, tu peux aller la voir. Lui parler. Tu devrais aller lui parler.

— Je vais peut-être le faire, répondit Matt. Quand ce problème sera réglé.

— Ma femme, elle ne veut pas me parler. Elle m'a enlevé mes gosses.

Il renifla convulsivement, le souffle haletant, prêt à basculer encore une fois dans l'hystérie.

— Elle a emmené mes gosses là où je ne peux plus les voir, plus jamais. Je ne pouvais pas la laisser faire ça, tu comprends ?

Matt comprenait, car il serait lui-même capable de faire n'importe quoi pour revoir son fils. N'importe quoi. Serrant les paupières de toutes ses forces, il repoussa l'image de Brad de son esprit. Ce qui le séparait du petit ne se comptait pas en kilomètres.

— Je veux juste lui demander pourquoi elle a fait ça, sanglotait Hampton. Allez, s'il te plaît, je veux juste parler à ma femme.

Matt ouvrit les yeux.

— Ce n'est pas si facile, vous comprenez ? Il y a des règlements...

— Va te faire voir avec tes règlements ! Amène-la ici, tout de suite !

La voix de Hampton était terrible à entendre, à la fois hurlante et gémissante, comme du métal torturé. En bruit de fond, Matt entendit Jasmine pousser une plainte inarticulée.

— La ferme ! La ferme, Jazzie !

Plus son père criait, plus la petite pleurait. La voix du grand frère lança quelque chose.

— James ? s'écria Matt. Parle-moi ! Allez, parle-moi, j'essaie de t'aider.

Pas de réponse. Le regard de Matt se braqua sur les photos des otages épinglées au mur devant lui. Jasmine, huit ans, James junior, seize ans. A peine plus âgé que Brad si celui-ci avait vécu. Matt coupa brutalement court à cette pensée ; ce n'était pas le moment de se préoccuper de son passé ! S'il ne faisait pas sortir le preneur d'otages très vite, l'homme ferait du mal à ses enfants, et là, il n'y aurait plus de négociation possible ; l'équipe tactique prendrait le relais. Ce serait l'assaut en règle, et des innocents pouvaient se faire prendre dans les tirs croisés. Il ne pouvait laisser les choses en arriver là.

— James, j'ai une idée. Je sais peut-être comment tu pourrais parler à ta femme.

— Envoie-la ici.

— Elle n'est pas là, mentit-il, mais j'ai une idée pour que tu puisses lui parler. Laisse-moi juste le temps d'ex-

11

pliquer ça à mes chefs et on verra si on peut s'organiser, d'accord ?

— Tu essaies encore de me faire marcher !

— Ces choses prennent du temps, James. C'est une question de logistique. Donne-moi juste quelques minutes pour mettre quelque chose sur pied.

— Cinq minutes ! hurla le preneur d'otages à son oreille. Cinq minutes, pas une de plus !

— Ça prendra peut-être un peu plus longtemps mais je ferai de mon mieux. Tu vas m'attendre, d'accord ? Tu tiens bon, et tu ne fais rien avant que je te parle de nouveau ?

Trois respirations explosives sur la ligne, puis la réponse arriva :

— D'accord. J'attends.

Matt fit un signe à son second, Todd Thurman, lui indiquant qu'il devait rester en ligne et continuer à gagner du temps, puis il arracha son casque et ouvrit la porte. Dans l'autre pièce, deux policiers en uniforme travaillaient devant des ordinateurs, rassemblant toutes les données disponibles au sujet de James Hampton. L'officier chargé de l'opération fondit sur lui.

— Vous pouvez me dire ce que vous fichez, Burkett, à lui promettre qu'il pourra parler à sa femme ? aboya-t-il sans préambule.

— Il est retranché là-dedans, capitaine. Je ne vois pas d'autre moyen de le faire sortir.

— Vous savez bien qu'on ne fait pas intervenir de tierce personne. Surtout une ex-femme. Vous voulez qu'il perde complètement les pédales ?

— Je vois comment ça peut marcher.

— Pas question.

12

Plutôt que de perdre du temps en vaines discussions, Matt se tourna vers l'autre officier, un homme de terrain, en uniforme noir.

— Où en sont les choses, pour vous ?

L'homme haussa les épaules.

— Pour nous, nulle part. Il est terré dans un débarras avec les otages. Pas de fenêtre, un seul accès le long d'un couloir étroit.

Matt braqua un regard muet sur le capitaine, son supérieur hiérarchique. Inutile de souligner la vanité d'une prise d'assaut. L'un des policiers, derrière eux, fit pivoter son siège.

— Nous venons de réussir à contacter le médecin de Hampton, lança-t-il. Un dossier pas brillant. Ce type a un problème d'instabilité, et son psy dit qu'il pourrait aller jusqu'au bout.

Le capitaine chuchota un juron.

— Il y a déjà eu des violences familiales ? demanda Matt.

Penché sur son écran, le policier répondit par-dessus son épaule :

— Il a déjà giflé sa femme plusieurs fois, et il y a eu une raclée en règle.

— Mais pas les gosses ?

— Non, juste la femme.

Matt respira à fond, hocha la tête.

— Bien. Je peux m'en servir. Il n'a pas vraiment envie de faire de mal à ses gosses.

— Bon, c'est quoi, votre idée ? demanda le capitaine d'un ton rogue.

— On enregistre la femme sur vidéo. On lui fait répéter son speech pour contrôler chaque mot, chaque expression. On fait ça tout de suite et on lui donne la bande.

— Et à quoi est-ce que ça va nous avancer ?

— J'échange la bande contre un des gosses.

— Ça lui laisse encore un otage.

— C'est déjà un de moins.

Visiblement, le capitaine n'était pas convaincu, et Matt ne pouvait pas lui en vouloir. C'était une solution plus que bancale, mais Hampton était déjà trop près du gouffre. Ils n'avaient plus le choix.

Il se retourna vers les préposés aux ordinateurs.

— Il y a un magnétoscope, à l'intérieur ?

Le même homme décrocha son téléphone, parla brièvement puis se tourna vers lui, le visage tendu.

— Oui. Dans le living, la pièce qui donne sur la rue.

Matt leva les yeux vers l'écran de télévision qui leur montrait la maison des Hampton, filmée en circuit fermé. Le living avait de grandes fenêtres, parfaites pour les tireurs. Tous les stores étaient levés. Une fois de plus, il sentit son estomac se retourner.

Parfois, le négociateur était obligé de créer une situation qui rendait possible un assaut. Depuis dix ans qu'il travaillait dans ces situations de crise, il n'avait encore jamais perdu un otage, ni un preneur d'otage. Il ne comptait pas commencer aujourd'hui.

— Je marche, dit le capitaine avec un signe de tête à son adjoint. Prévenez l'équipe d'intervention.

— Capitaine ! intervint Matt.

L'homme en noir hésita à la porte ; d'un coup de menton, le capitaine fit signe à Matt de parler.

— Si je fais sortir les gosses, on peut continuer à négocier ? Capitaine, donnez-lui une chance de faire ça comme il faut.

— Vous voulez sortir ce salopard en un seul morceau, c'est ça ?

14

— Oui, capitaine.

Un lien se créait toujours entre lui et « ses » preneurs d'otages. Cette fois, l'identification était particulièrement forte. Il retrouvait tant d'éléments de sa propre vie dans la situation de James Hampton... Il l'entendait formuler son propre chagrin, sa propre colère.

— Ce type bat sa femme, vous savez ?

— Aux dernières nouvelles, on n'abat pas les maris pour ça.

Avec un soupir, le capitaine secoua la tête.

— Faites sortir ces gosses et vous pourrez lui parler jusqu'à Noël si vous voulez. Mais s'il les touche, c'est Brook qui termine la discussion.

Brook sortit et le capitaine alla s'emparer d'un téléphone en lançant :

— On aura une vidéo pour vous dans un quart d'heure.

De retour dans la petite salle de négociation, Matt remit ses écouteurs et se laissa tomber sur son siège. Prenant une grande respiration, il fit signe à Thurman qu'il reprenait la discussion.

— Très bien, James. On a réussi à joindre votre femme. Voilà ce qu'on va faire.

Il expliqua comment on allait envoyer une cassette vidéo jusqu'à la porte d'entrée, à l'aide d'un petit engin télécommandé.

— Il y a juste une chose, ajouta-t-il d'un ton désinvolte. En échange, il faut faire un geste de bonne volonté.

— Vous voulez rire ! Qu'est-ce que je peux vous donner, moi !

— Il va falloir nous donner un des gosses, acheva-t-il sans se démonter.

La respiration du preneur d'otages s'accéléra.

— Allez, James, insista Matt. J'essaie de te donner ce que tu demandes. Mets-y du tien !

Il entendit un hoquet, et comprit que l'homme pleurait de nouveau. Mentalement, il le supplia de tenir bon.

— C'est un… un piège ! Vous essayez de me coincer.

— Il n'y a pas de piège, c'est juste un échange. Fais sortir un des gosses et tu as la bande. Tu veux voir ce que dit ta femme, non ?

L'homme gémit, torturé. Se tenant à quatre pour ne pas ajouter d'autres arguments, Matt le laissa réfléchir.

— Bon, d'accord…, dit-il enfin, dans un souffle.

— C'est bien, James. C'est vraiment très bien. On est en train de nous faire parvenir la bande. Ce ne sera plus très long, maintenant.

Brandissant les pouces dans un geste enthousiaste, Todd Thurman coupa son propre micro et murmura :

— Bravo, Burkett ! Tu le tiens.

Matt se renversa dans son siège, le cœur battant douloureusement dans sa poitrine. Il n'était pas aussi certain que son adjoint de tenir qui que ce fût ; sa peau se couvrait d'une sueur fébrile. Il fallait faire monter la mise, tout de suite, pendant que la chance était avec lui. S'éclaircissant la gorge, il fit signe à Thurman de se taire.

— Quel gosse est-ce que tu vas nous envoyer, James ?

— Je… je ne sais pas.

Dans le silence qui s'ensuivit, l'écran vidéo posé sur la table basse leur montra l'étrange petit engin qui se mettait en route au centre de la chaussée, virait maladroitement de bord au niveau de la grille et remontait en cahotant l'allée de la maison. Un dispositif très simple, sur le principe des petites voitures télécommandées des enfants, et qui permettait de ne pas exposer un policier

16

face à des hommes aussi instables que Hampton. Dans la petite benne, il y avait une cassette vidéo. Le policier qui contrôlait l'appareil l'arrêta à quelques mètres de la porte pour attendre la fin de leur échange.

— Lequel est-ce que tu aimes le plus ? demanda Matt pour la seconde fois. Jasmine, ta petite Jazzie ? James junior ? Ton grand fils ou ta petite fille ? Lequel des deux mérite de vivre ? A toi de choisir.

Horrifié, Thurman abattit la manette qui coupait leurs micros.

— Qu'est-ce que tu fabriques ?

— Je sors les gosses de là. Tous les deux.

— Tu vas le perdre.

— Je ne perdrai personne ! explosa Matt. Remets-moi ce micro !

Un vrombissement fébrile dans les oreilles, Matt attendit que le petit voyant se remît au vert.

— James, tu es là ?

— Je... Je ne peux pas. Je ne peux pas décider.

— L'un des deux doit sortir.

Matt ferma les yeux, pinça entre deux doigts la racine de son nez. Sa gorge se serrait à lui faire mal, sa tête allait exploser.

— Tu dois choisir, dit-il avec douceur. Lequel va vivre, lequel va rester et peut-être mourir ?

James sanglotait pitoyablement dans son téléphone.

— A moins que tu ne veuilles les envoyer tous les deux, suggéra Matt à voix basse.

— Mais alors, je n'aurai plus personne. Je n'aurai plus personne...

— Tu m'auras, moi. Je ne te lâcherai pas.

Une plainte animale, interminable, s'éleva à son oreille. Puis il y eut un fracas, comme si on venait de laisser tomber le téléphone.

— James ? James ! cria Matt, le regard rivé à l'écran vidéo.

Le corps crispé, il attendait le premier coup de feu. Un silence hallucinant s'était abattu sur la scène. Enfin, après de longues secondes d'attente, les micros braqués sur la maison des Hampton enregistrèrent un léger grincement. Le temps s'arrêta, et la porte d'entrée s'ouvrit au ralenti.

La petite Jasmine se tenait sur le seuil, les joues striées de larmes. Son frère la poussa en avant et ils émergèrent tous deux sous la véranda, clignant des yeux à la lumière vive du soleil. La silhouette sombre de leur père se tenait derrière eux.

Matt ne fit pas un geste, cessant même de respirer.

— Viens, viens, chuchota-t-il.

Le frère et la sœur avancèrent d'un pas, puis d'un autre, et, tout à coup, quatre policiers engoncés dans des tenues de sécurité jaillirent de leurs cachettes. Deux braquèrent leurs armes sur la porte, le troisième fonça, souleva la petite Jasmine et disparut à l'angle de la maison, le quatrième lança un bras autour des épaules de James junior en le protégeant de son corps. Il cherchait à l'entraîner avec lui, mais le garçon résistait, se retournait vers la maison, pâle et les yeux écarquillés.

Sur la véranda, James Hampton se laissa tomber à genoux et tendit les mains vers le petit appareil télécommandé qui roulait vers lui.

De toute la force de sa volonté, Matt lui soufflait : « Allez, James. Prends la bande, rentre à l'intérieur. Ramasse le téléphone et parle-moi. »

James se releva sans prendre la bande. Tête renversée en arrière, il contempla l'immensité du ciel bleu, les érables qui bruissaient au vent. Il essuya ses joues humides, et Matt frémit. Oh, non… Il connaissait cette expression : James n'allait pas reprendre le téléphone. Jetant ses écouteurs, il se tourna vers la porte. Il devait arriver le premier, atteindre son preneur d'otages avant que…

Il eut juste le temps de se mettre sur pied quand il comprit qu'il était trop tard. Hypnotisé, il vit à l'écran James soulever son arme, une carabine de chasse, et se précipiter vers la barricade de police qui isolait sa maison. Le canon de la carabine lança un éclair, une détonation sourde et puissante fit trembler la caméra vidéo.

Dans le jardin, James junior voulut se précipiter, mais le policier le retint. Le visage déformé par l'horreur, le garçon regarda son père presser la gâchette une deuxième fois, puis une troisième fois, jusqu'à ce que les policiers n'aient plus d'autre choix que de tirer à leur tour.

Il y eut un roulement serré de coups de feu, et James Hampton ne fut plus prisonnier de son désert.

1.

« Bienvenue au cœur du Texas ! pensa Matt en lançant un coup de pied au pissenlit trapu qui jaillissait d'une crevasse dans la terre sèche. Le pays où les mauvaises herbes les plus résistantes peinent à s'accrocher, où le vent souffle si fort qu'il égratigne votre voiture... » Et pourtant, les hommes s'obstinaient à vouloir arracher leur subsistance à cette terre.

Jamais il n'aurait imaginé revenir ici. Mais la mort de James Hampton changeait tout pour lui. Il se sentait touché au plus profond. Très tard dans la nuit, il était resté assis à son bureau ; et avant l'aube, il se trouvait à la gare routière. Il savait où il devait aller et ce qu'il devait faire, mais il n'avait plus l'énergie nécessaire pour prendre lui-même le volant.

Laissant tomber son sac de marin à ses pieds, il se pencha pour ouvrir la poche extérieure et vérifier que la grosse enveloppe jaune était toujours à sa place. Pour la première fois, il mesura pleinement ce qu'il s'apprêtait à faire. C'était si définitif qu'il eut l'impression d'encaisser un coup au plexus. L'envie le saisit de tourner les talons, de rentrer chez lui en courant. Et ensuite ? Faire comme si tout allait bien, comme s'il ne se passait rien de particulier ? Il se raidit, et réussit à se remettre en marche.

James Hampton avait eu raison. Vivre dans le désert, c'était ne pas vivre du tout. Il était temps de reprendre le fil de l'existence — avant de finir comme lui.

Calant son sac plus confortablement sur son épaule, il marcha vers le soleil. Bientôt, il découvrit son objectif, au sommet de la colline suivante. Quittant la route, il entama un mouvement tournant pour l'atteindre à revers. Une fois sous le vent de la colline, hors de vue de la route, il s'arrêta près de l'étang où il avait appris à faire des ricochets dans son enfance. Le vieux saule était toujours debout. Cédant à son appel, il franchit le rideau magique de ses branches tombantes.

L'inscription serait-elle toujours là ? Il tendit la main et ses doigts trouvèrent d'instinct les quelques lettres gravées profondément dans l'écorce rugueuse. *M.B. aime C.E.* En clair : « Matt Burkett aime Caroline Everett. » Il se souvenait de la nuit où il avait gravé ces lettres. A l'époque, il croyait encore que l'amour était éternel, qu'il survivait à toutes les épreuves. Il était si jeune, alors !

A présent, il n'était plus ce gamin sûr de tout, et le temps continuait à passer. Inutile d'en gaspiller davantage à repousser l'inévitable. Avec un soupir, il reprit son sac et appela Alpha, Alf pour les intimes, son coéquipier canin. La brave bête abandonna son exploration des bords de l'étang et, ensemble, ils grimpèrent vers la maison.

La maison de Caroline.

Quelques minutes plus tard, le souffle un peu court, il contempla la grande maison victorienne qui lui faisait face.

— Nous y sommes, Alf.

Le chien pressa sa truffe contre la main de son maître, comme s'il demandait à être rassuré. Caressant doucement le museau grisonnant de son meilleur ami, Matt marmotta :

— Allons voir s'il y a quelqu'un.

La dernière fois qu'il était venu ici, la maison trônait au sommet de la butte, fraîchement repeinte en blanc, sur le fond limpide du ciel d'été. Aujourd'hui, la peinture qui s'écaillait sur le bois gris rappelait davantage les nuances d'un ciel d'orage.

Quand il pensait à tous les endroits où Caroline aurait pu s'enfuir... Pourquoi était-elle revenue à Sweet Gum ? Au nom des bons souvenirs d'une époque où tout semblait plus simple ? Perdu dans ses pensées, il ne vit pas le petit garçon noir qui jaillit en boulet de canon à l'angle de la maison. Le gamin se précipita dans ses jambes, rebondit comme une balle et poussa une exclamation indignée, comme si Matt s'était placé là exprès pour lui barrer le chemin. Voulant l'empêcher de tomber, Matt se pencha pour le saisir aux épaules, et le gamin lui décocha un coup de pied dans le tibia.

— Aïe !

— Vous êtes qui ?

Tenant le garçon à distance d'une main, il se frotta la jambe de l'autre.

— Et toi, tu es qui ?

— J'ai demandé le premier !

Matt réprima un mouvement de recul. Ce petit corps de brindille aux gros genoux éraflés, six ans tout au plus... Brad était aussi frêle, au même âge. Puis il plongea son regard dans les grands yeux du petit et n'y lut que du vide. Aveugle... Cet enfant était aveugle ! Quelle épouvantable injustice ! Mettant un genou en terre, il serra la petite main rêche dans la sienne et prit une voix moins rude pour dire :

— Je m'appelle Matt Burkett. Et toi ?

Méfiant, le petit plissa ses yeux sans lumière, hésita et finit par lâcher, l'air de faire une énorme concession :

— Jeb Justiss.

— Content de te rencontrer, Jeb.

En lâchant la main du gamin, il fut surpris de le voir plisser le nez et lever la tête comme s'il cherchait la source d'une odeur. Son petit visage rond s'illumina.

— Un chien ! s'écria-t-il, ravi, ses mains tâtonnant autour de lui. Je peux le caresser ?

Matt fit signe à Alf de s'écarter et se remit sur pied.

— Non.

La jubilation disparut instantanément du petit visage levé vers le ciel, les mains tendues s'immobilisèrent. Ennuyé, Matt expliqua :

— C'est un chien policier, pas un animal de compagnie.

— Vous êtes flic ?

— Oui. Brigade des maîtres-chiens.

Du moins était-ce ce qu'il faisait entre deux négociations avec des preneurs d'otages aux existences qui lui rappelaient un peu trop la sienne.

— Pourquoi vous êtes venu ?

— Je cherche ma f… Je cherche Caroline.

— Oh ! Elle est là derrière, à faire sa peinture.

Sa peinture ? Le garçon l'entraîna derrière la maison et il comprit de quoi il retournait en découvrant Caroline de dos, perchée en haut d'une échelle branlante, en train de promener un gros pinceau sur les planches gauchies du mur. Il s'immobilisa pour mieux s'imprégner du spectacle.

Elle s'était arrondie. Des courbes voluptueuses remplaçaient la finesse presque anguleuse dont il se souvenait de façon si intime. L'évasement de ses hanches était moins subtil,

23

ses fesses emplissaient son short absurdement court, et cela lui allait bien. Dieu sait qu'elle était trop mince, *avant* ! Trop de chagrin, ça vous fait maigrir une femme.

Alors qu'il hésitait encore à s'annoncer, un son dut le trahir car elle se retourna. Des gouttes de peinture émaillaient son visage et ses bras, très blanches sur sa peau mate et bronzée. Pendant quelques secondes, ils se dévisagèrent, figés. Puis elle lança :

— Tu es en retard.

— Comment ? demanda-t-il, décontenancé.

— Nous avions dit un an. Cela fait treize mois et huit jours.

— Et deux heures et... six minutes, conclut-il en regardant sa montre.

— Tu te souviens, alors.

Elle consentit enfin à descendre de son échelle. A trois barreaux du sol, elle prit la main qu'il lui tendait pour l'aider. Il sentit qu'elle tremblait très légèrement, mais elle s'appuya fermement sur lui, sans se dérober. Matt plongea alors dans son regard doré. Un regard droit, rempli de vitalité — alors que lui se sentait à moitié mort. Lâchant sa main, il recula d'un pas.

— Un homme n'oublie pas le moment où sa femme le plante là.

Se redressant, elle jeta un regard autour d'elle, à la recherche d'une autre occupation. Matt était installé à la table. Même assis, il prenait beaucoup de place avec sa carrure solide et ses longues jambes. L'espace qu'il ne remplissait pas physiquement, ses yeux vert d'eau semblaient le dévorer. Avec son allure de Viking et sa tignasse blonde, il semblait totalement déplacé dans cette cuisine vieillotte.

Elle le trouvait vieilli, le visage marqué et durci. Le sourire qui illuminait autrefois son visage en permanence — et qui illuminait leurs deux existences... — avait disparu. Reculant jusqu'au réfrigérateur, elle sortit un pichet de thé glacé.

— Tu es venu comment ?

— A pied.

— Depuis Port Kingston ?

L'étincelle d'humour dans ses yeux clairs s'évanouit trop vite.

— Depuis l'arrêt du car, au bourg.

Elle haussa un sourcil en lui tendant un grand verre de thé.

— Ton 4x4 est en panne ?

Fronçant légèrement les sourcils, il essuya la buée de son verre et avoua :

— J'étais trop à plat pour prendre la route.

Il se passait de toute évidence quelque chose. Cela ne lui ressemblait pas de renoncer à contrôler sa propre trajectoire, de se résoudre à n'être qu'un simple passager. Pourtant, elle n'insista pas. Les problèmes de transport de Matt n'étaient plus son affaire. S'installant dans un fauteuil de rotin près de la fenêtre, pour garder un œil sur Jeb qui jouait dehors, elle attendit qu'il expliquât la raison de sa venue. Quand le silence devint insupportable, elle se résigna à parler la première.

— Alors ? Comment vas-tu ?

— Ça va. Et toi ?

— Ça va.

Le mensonge était évident. L'horloge égrena encore plusieurs coups.

— On ne va pas…, explosa-t-elle.

— Ne te…, commença Matt au même instant.

Poliment, il lui fit signe de parler la première, et ce geste eut le don de la mettre hors d'elle. Bégayant presque de rage, elle s'écria :

— Nous n'allons pas rester assis là comme de vieilles connaissances qui n'ont rien à se dire, Matt ! Nous étions tout de même mariés !

— Nous le sommes toujours.

La dureté de sa voix la frappa comme un coup.

— C'est vrai. C'est pour ça que tu es là ?

Se penchant en avant, il tira une grosse enveloppe jaune de son sac de marin, et la déposa sur la table.

— Il est temps de reprendre nos vies.

Elle ne tendit pas la main, car elle en était incapable.

— Je pense que tu trouveras ça correct, poursuivit-il. La pension alimentaire, je veux dire…

— Je n'en doute pas.

Elle se mordit la lèvre, cherchant à reprendre son souffle. Ce ne devrait pas être aussi difficile… C'était tout de même elle qui l'avait quitté !

— Tu n'auras pas à t'inquiéter pour l'argent.

Incapable de rester en place, elle jaillit de sa chaise.

— Tu crois que c'est de l'argent que je m'inquiète ?

Sous le lino usé, le plancher grinçait sous ses pas. Tout s'en allait à vau-l'eau, dans cette maison, et elle avait si peu de temps pour la remettre en état ! En fait, elle s'inquiétait énormément pour l'argent. Trop prise par sa propre vie, elle n'avait pas entretenu la vieille maison, héritée de sa tante Ginger, pendant les années où elle vivait à Port Kingston avec Matt. Maintenant, tous ses rêves en dépendaient. Et même son avenir…

Bien sûr, Matt ne s'intéressait ni à ses rêves ni à son avenir.

— Tu crois que c'est pour cela que je t'ai quitté ? demanda-t-elle. Pour des questions d'argent ?

Il baissa la tête.

— Je sais que tu voulais... autre chose. Des choses que je ne pouvais pas te donner.

Ulcérée, elle se planta devant lui, les mains sur les hanches.

— Des *choses* ? Tu ne peux même pas prononcer le mot, c'est ça ?

Lentement, il leva les yeux vers elle et elle se sentit transpercée par ce regard vert, à la fois si clair et si inexpressif. Matt avait toujours su cacher ce qu'il ressentait derrière ce regard placide. Cela faisait de lui un excellent négociateur, et un très mauvais mari.

— Tu voulais un bébé, dit-il d'un ton neutre.

— Je voulais être de nouveau mère. Entendre pleurer un bébé ! L'entendre rire !

Elle serra les poings, si fort que ses ongles éraflèrent ses paumes.

— Tu te souviens des rires d'enfant, Matt ? Parce que, moi, je ne m'en souvenais plus avant de venir ici ! Je ne me souvenais que des cris, de la terreur...

Il serra son verre si violemment qu'elle craignit de le voir exploser.

— Caroline, il faut laisser tout ça derrière nous, passer notre chemin...

Dans un geste de colère, elle déchira l'enveloppe, et parcourut la convention du divorce.

— C'est ça que tu appelles « juste » ?

— Quelque chose ne te convient pas ?

— Il ne te restera même pas de quoi nourrir Alf, sans parler de toi. Comment comptes-tu payer la maison et mettre de l'essence dans ta voiture, si tu me donnes tout ce que tu gagnes ?

— Je veux qu'il n'y ait pas de difficultés pour toi.

— Mais tu ne veux pas être là pour les résoudre. Juste signer des chèques, c'est ça ?

Contrariée d'entendre une note aussi acerbe dans sa propre voix, elle respira à fond et déclara plus calmement :

— Je t'ai laissé prendre soin de moi presque toute ma vie, Matt. Il est temps que je prenne soin de moi-même.

Elle laissa retomber les paperasses devant lui. Au lieu de les ramasser, il se leva, lui prit les mains et les serra dans les siennes. Elle ne put réprimer un léger tremblement.

— Laisse-moi faire ça pour toi, dit-il.

— Non.

Pourtant, elle ne se dégageait pas. Maintenant qu'il se tenait tout près, elle retrouvait son odeur masculine, mêlée au parfum de l'après-rasage si familier. Elle en avait un flacon sur sa coiffeuse, juste pour le respirer de temps en temps. Oh, cela faisait si longtemps ! Elle s'abandonna à la réalité vivante de son odeur.

— C'est la seule chose que je puisse faire…, reprit-il.

— Tu voudrais m'aider ?

— Oui.

Il avait hésité avant de répondre, et elle devina ce qu'il pensait. Sans doute croyait-il qu'elle allait le supplier de lui donner un enfant, comme elle l'avait fait avant son départ ! Il se trompait : elle ne supplierait plus jamais.

— Alors garde ton argent, dit-elle en dégageant ses mains, et prête-moi tes muscles. J'essaie de monter une affaire, ici, et regarde cette maison ! Elle est dans un état épouvantable.

Il regarda autour de lui, vit la tapisserie fanée, l'élec-troménager hors d'âge. Son regard se fit méfiant.

— Quel genre d'affaire ? demanda-t-il.

— Une crèche.

Comme elle s'y attendait, elle vit ses yeux s'écarquiller d'horreur, juste avant que le masque ne retombât. Son malaise lui donna une satisfaction perverse. Sans aller jus-qu'à le faire souffrir, elle aurait adoré réussir à le secouer un peu. Lui faire mesurer ce qu'il ratait…

— Pour des gosses un peu spéciaux, précisa-t-elle. Comme Jeb.

L'étincelle de vie qu'elle espérait ne se manifesta pas ; le visage de Matt n'exprimait plus rien. Déçue, elle fit un signe du menton en direction de Jeb, assis dehors dans la poussière, occupé à faire gravir un tas de terre à un petit camion.

— Pour des gosses aveugles ? demanda-t-il.

— Jeb n'est pas complètement aveugle. Il arrive à per-cevoir un peu les formes et les mouvements. Disons pour des enfants qui ont des problèmes. Des enfants malades, ou qui viennent de familles à risque. Tu te souviens du mal que nous avions à trouver quelqu'un pour garder Brad, même quelques heures, le temps de faire le point avec les médecins ?

De toute évidence, il s'en souvenait. Et elle n'avait pas besoin de cette crispation de sa bouche pour le savoir.

— S'il n'y avait pas eu ta famille, je ne sais pas ce que nous aurions fait. Je veux aider les parents qui ne trouvent pas ce genre de soutien dans leur entourage. Tous les gamins qui ont besoin d'un petit plus en termes de soins et de tendresse seront les bienvenus ici. Pour une heure, une journée, un mois… le temps qu'il leur faudra.

Matt regardait par la fenêtre, mais elle se demanda s'il voyait quoi que ce fût.

— C'est quelque chose de très lourd à assumer, murmura-t-il. Tous ces problèmes…

Elle se raidit.

— Ce ne sont pas des *problèmes*, ce sont des *enfants*.

Même dans un mouvement de colère, elle se sentait fondre de tendresse à la pensée de ses futurs petits pensionnaires. Souriant malgré elle, elle ajouta :

— J'ai déjà deux autres enfants, en plus de Jeb. Maxine et Rosie, des jumelles de quatorze mois.

Matt fit une grimace involontaire, en pensant sans doute à Brad au même âge, mais elle crut voir quelque chose s'adoucir dans son regard.

— Il en arrivera d'autres aux grandes vacances, continua-t-elle en s'essuyant les yeux. En fait, j'ai moins de deux mois pour remettre cette maison en état et passer l'inspection des services sociaux.

— Et tu me demandes de t'aider ?

— Tu es habile de tes mains.

Une chaleur la saisit aux entrailles. Oh, oui, il était habile de ses mains, elle s'en souvenait trop bien ! Très vite, elle ajouta :

— Et tu aimes ce genre de travail. En tout cas, tu l'aimais…

— Si je t'aide à mettre la maison en état, tu signeras les papiers ? Sans rien changer ?

— Je veux bien négocier avec toi pour la pension. Nous trouverons un compromis satisfaisant. Je ne te promets rien de plus.

Les yeux braqués sur le lino usé à ses pieds, il déclara :

— Ça prendra des semaines. Il… il faudra que je trouve à me loger quelque part.

Cela, Caroline n'y avait pas pensé. Il n'y avait pas d'hôtel à Sweet Gum, et il n'était pas question qu'il s'installât sur place. En tout cas, pas avant qu'elle eût trouvé la meilleure façon de lui annoncer la nouvelle.

— Tu te souviens de Cora et Ed Johnson ? Ils ont décidé de louer des chambres. Ils ont besoin de revenus, maintenant que Ed ne peut plus travailler les champs comme avant. Ils te connaissent, et je pense qu'ils seraient contents de te donner un toit.

— Il y a mon travail…

— Tu n'as pris qu'un seul jour de congé en six ans. Le jour où nous avons enterré Brad.

Un spasme de chagrin lui crispa le visage, mais il se contrôla presque instantanément.

— On te doit bien un peu de repos, non ?

— Paige va se marier dans quelques semaines. Je dois y être.

— Ce n'est qu'à deux heures et demie de route. Tu pourras rentrer chaque fois que tu auras besoin de le faire.

Matt se tourna de nouveau vers la fenêtre. Une hirondelle venait de se poser sur la mangeoire à oiseaux accrochée à l'extérieur.

— Elle était déçue quand tu n'as pas répondu à son invitation…, observa-t-il d'une voix parfaitement neutre.

Le cœur de Caroline trembla comme les ailes de l'oiseau que contemplait Matt. Elle avait été très proche de la sœur de Matt. Jusqu'à ce que les Burkett déménagent à Port Kingston, elles étaient en classe ensemble. Elle aurait adoré venir au mariage de son amie… Mais comment se présenter à l'église avec un bébé dans les bras ? Un bébé dont personne dans la famille — y compris son propre père — ne connaissait l'existence ?

Quelques semaines, voilà tout ce qu'elle demandait. Elle avait besoin de jauger l'état d'esprit de Matt, de deviner comment il réagirait en apprenant que la grande décision avait été prise à sa place. Après quinze ans de mariage, et tant de tiraillements pour savoir s'ils auraient ou non un autre enfant, le destin en avait décidé pour lui, la dernière fois qu'il lui avait fait l'amour.

— Un mois, dit-elle en ravalant son appréhension, et sans relever son commentaire au sujet de Paige. Tu me donnes un mois de travaux forcés, et je t'accorde ton divorce.

La petite soupira, jeta un poing en l'air, et ses cils tremblèrent. Puis elle s'abandonna, lourde et inerte, entre les bras de sa mère. Caroline la nicha sur son épaule, où elle se blottit avec un petit reniflement de contentement. Sous sa paume, Caroline sentait son petit dos se soulever dans un souffle si ténu, si fragile ; elle soufflait de petites bouffées tièdes sur sa joue. Le parfum du talc et du savon de bébé l'enveloppa, et elle poussa un long soupir de contentement. Elle gâtait sans doute Hailey en la gardant autant dans ses bras, mais elle avait tellement besoin de la protéger... et de se rassurer ! Venue au monde dans des circonstances aussi improbables, Hailey était son miracle. Sa seconde chance.

Après la naissance de Brad, Matt et elle avaient essayé d'avoir un second enfant. Par deux fois, une fausse couche était venue balayer leurs espoirs. Les médecins affirmaient qu'aucun problème physique ne l'empêchait de mener un bébé à terme, mais Matt et elle avaient fini par renoncer. Il était trop triste de perdre les enfants à naître, et Matt

32

redoutait qu'une nouvelle grossesse ne fût dangereuse pour elle. Abandonnant leur rêve d'une nombreuse progéniture, ils avaient donné tout leur amour, toute leur énergie à Brad. Ils chérissaient leur fils, et Brad s'épanouissait sous leurs yeux.

Trois ans plus tôt, alors qu'il avait onze ans, ils avaient commencé à remarquer des anomalies. Le garçon se fatiguait trop facilement, ses bleus et ses bosses mettaient trop longtemps à s'effacer. On avait fini par diagnostiquer une leucémie, et il était mort en un an.

Sans lui, Caroline s'était sentie affreusement seule. La première période de deuil passée, elle avait voulu remplir le vide de son cœur en tentant d'avoir un nouveau bébé. Matt avait refusé catégoriquement, répétant qu'ils étaient trop âgés, que c'était trop risqué, qu'il ne se sentait pas prêt… Elle avait attendu un an en espérant qu'il changerait d'avis et parviendrait à recoller les morceaux de son cœur. En fin de compte, elle avait dû accepter la vérité. Il ne serait jamais prêt.

Du coin de l'œil, Caroline vit la mère de Jeb entrer en coup de vent dans la pièce. Savannah, sa meilleure amie, était aussi son associée.

— C'est lui ? demanda-t-elle à son oreille en la rejoignant à la fenêtre.

Caroline hocha la tête, sans quitter des yeux le nuage de poussière qui se déployait sur le chemin montant à la maison.

— Sûrement. Il n'y a que lui pour remuer autant d'air.

— Ça fait une distance, à pied, depuis la ferme des Johnson ! Tu aurais pu proposer d'aller le chercher. Puisqu'il va travailler pour toi gratis !

— Il aime courir, le matin. Il dit que ça lui vide la tête pour la journée.

— Mmm… Quand on a la forme, la course peut servir à vous vider la tête. Quand on a mal, c'est juste une façon de remplacer une souffrance par une autre.

Caroline sourit et se tourna enfin vers son amie. Comme toujours, le regard sombre et chaleureux de Savannah lui réchauffa le cœur.

— Tu crois que c'est symbolique ? lui demanda-t-elle. Comme une fuite ?

— Il ne s'enfuit pas, ma grande, il court droit vers toi. Si tu veux chercher des symboles…

Très contente d'elle, Savannah souleva Hailey de l'épaule de Caroline, ajusta son pyjama et passa sa large paume sur l'épi dressé sur sa petite tête.

— C'est ta formation de psychologue qui parle, ou ton instinct de mère ? demanda ironiquement Caroline.

— Ne te laisse pas impressionner par mes cheveux gris, répliqua son amie. Tu as un an de plus que moi ! Ne viens pas me dire que je suis ta mère…

— Pourquoi est-ce que je ne fais que vieillir, alors que, toi, tu apprends la sagesse ? s'écria Caroline en éclatant de rire.

Le visage austère de Savannah se fit lointain.

— La dureté de la vie, ma grande. Ce n'est pas quelque chose que je te souhaite.

Avant que Caroline pût trouver une réponse, son amie se pencha vers la fenêtre avec un long sifflement.

— Regardez-moi ça ! s'exclama-t-elle. Je n'ai pas vu un corps comme celui-là depuis… Je n'ai jamais vu un corps comme celui-là !

Elle fit mine de se pâmer en s'éventant avec une couche propre. En bas, Matt se penchait en avant pour s'inonder la tête avec le jet d'arrosage. Son corps musclé, vêtu uniquement d'un short de coureur, brillait au centre d'un halo de gouttelettes étincelantes. Alf haletait, assis près de lui. Quand il eut fini de s'arroser, il tourna le jet vers le chien, qui se mit à bondir en cherchant à le mordre. Enfin, l'homme et le chien se secouèrent du même mouvement, faisant jaillir de l'eau à plusieurs mètres.

A la fenêtre, Caroline poussa Savannah du coude.

— Dis donc… C'est mon mari que tu regardes !

— Mmm… Un joli garçon.

— Tu n'as rien d'autre à faire ? Aller à ton travail, par exemple ?

— Mon premier rendez-vous est à 10 heures. Ça me laisse tout le temps de nous faire un bon petit déjeuner. J'ouvrirai l'oreille pour la petite princesse pendant que tu parles à… ton mari.

— Savannah…

Caroline saisit son amie par le bras. Cela faisait des mois que Savannah ne la suivait plus en thérapie, et leur relation s'était transformée en amitié solide, mais dans les phases de doute, c'était tout de suite vers elle qu'elle se tournait.

— Savannah, j'ai peur.

Instantanément, l'humour s'effaça du visage sombre de son amie.

— Physiquement ? demanda-t-elle d'une voix tendue.

— Non. Matt ne me fera aucun mal. Pas physiquement, en tout cas.

— Mais il t'a fait mal sur le plan émotionnel.

— Nous nous sommes fait mal mutuellement.

— Et toutes ces vieilles blessures sont en train de se rouvrir ?

Avalant douloureusement sa salive, Caroline approuva de la tête. Muette de chagrin, elle se retourna vers la fenêtre et sentit sur son épaule la main ferme de son amie.

— On ne t'a jamais dit qu'une coupure franche et nette faisait moins mal qu'une déchirure lente ?

Sur la pelouse jaunie, en contrebas, toujours inconscient d'avoir un public, Matt ouvrit un sac de gymnastique et enfila un T-shirt bleu portant le sigle de la police de Port Kingston.

— Tu crois que je devrais lui dire tout de suite ? demanda Caroline dans un souffle.

— Tu ne crois pas qu'il a le droit de savoir ?

— Et moi, quels sont mes droits dans l'histoire ? Et Hailey ? Elle n'aurait pas le droit d'avoir un père qui l'aime et qui désire son existence ?

— Comment est-ce qu'il peut l'aimer, alors qu'il n'est pas au courant ?

Sentant peut-être qu'on parlait d'elle, Hailey gémit dans son sommeil et s'agita un peu. Caroline l'emporta jusqu'à son berceau et la posa avec tendresse, évitant le regard de Savannah.

— Dis-moi pourquoi tu ne lui as pas parlé de Hailey. La vraie raison, je te prie.

Caroline ferma les yeux. Regardant au fond d'elle-même, elle ne vit rien. La réponse, si réponse il y avait, demeurait cachée dans les ténèbres.

— Tu cherches à le punir ?

— Le punir pour quoi ? C'est moi qui l'ai quitté.

Le pas léger de Savannah s'approcha, puis s'arrêta près d'elle. Une main fraîche écarta les cheveux de son front.

— Le punir d'avoir laissé mourir Bradley ? demanda-t-elle.

2.

Matt ouvrit la porte moustiquaire et les charnières poussèrent un long grincement. Mentalement, il ajouta cette nouvelle réparation à une liste déjà longue.

— Jebediah Justiss, si tu fais un pas hors de cette maison avant d'avoir mangé ton petit déjeuner, tu vas avoir de sérieux ennuis ! lança une voix ferme dans la cuisine.

— Mais m'man !

Assis par terre au centre du living, le garçon maniait de petites figurines guerrières. Dans un parc, près de lui, deux petites qui ne devaient pas marcher depuis bien longtemps tiraient chacune de leur côté un lapin en peluche, conversant dans un langage insolite tel que Matt n'en avait jamais entendu. Assez gêné, il lança à la cantonade :

— Je suppose que vous avez entendu la porte, mais ce n'est pas Jeb. C'est Matt Burkett.

Une grande femme noire vint s'encadrer dans la porte de la cuisine en s'essuyant les mains sur un tablier à carreaux. Très maigre, un peu voûtée, elle avait pourtant une présence remarquable. Quand elle sourit, son visage sévère s'illumina.

— Monsieur Burkett, bonjour ! Entrez donc. Je suis Savannah Justiss. Venez prendre des pancakes avec nous !

— Oh ! Merci beaucoup, mais… non, je…

— Comme vous voudrez. Jeb, ton petit déjeuner sera prêt dans deux minutes.

Tournant les talons, elle disparut dans la cuisine. L'une des jumelles réussit à arracher le lapin des mains de sa sœur, qui se mit à pleurer.

— Jeb, vois donc ce qui tracasse ces petites, lança Savannah depuis l'autre pièce.

Avec un soupir, Jeb laissa ses figurines et se leva. Tendant les mains dans le parc, il repéra la peluche à tâtons et dit sévèrement :

— Ce n'est pas gentil, Max. Tu dois partager avec Rosie.

— Tu arrives à les distinguer ? demanda Matt, interloqué.

Les deux petites lui semblaient rigoureusement identiques — et d'ailleurs l'apparence physique ne signifiait rien pour Jeb ! Très curieux, il attendit la réponse, tout en contrôlant de son mieux la douleur dans sa poitrine. La douleur qui le saisissait chaque fois qu'il contemplait un enfant… N'importe quel enfant.

— Bien sûr !

D'une secousse, Jeb arracha le lapin et le tendit en direction des reniflements furieux de l'autre jumelle. La première poussa un cri strident.

— Ça, c'est la voix de Max, expliqua tranquillement Jeb.

Entendant sa sœur pleurer, l'heureuse gagnante se joignit au concert. Plaquant ses mains sur ses oreilles, Jeb termina sa démonstration :

— Et ça, c'est la voix de Rosie ! cria-t-il.

Savannah arriva à la rescousse, se penchant sur le parc avec des claquements de langue réprobateurs.

— Jeb, ordonna-t-elle, tes pancakes sont sur la table.

Docile, le petit garçon se dirigea vers la cuisine, raflant au passage ses figurines et les tendant devant lui pour repérer les obstacles. Hissant une jumelle sur chaque hanche, Savannah le suivit.

— Si vous ne voulez rien manger, venez au moins vous asseoir une minute, monsieur Burkett. Je vous sers du café.

Matt la suivit à contrecœur. Il n'avait pas d'autre choix, à moins de se montrer délibérément impoli.

— Appelez-moi Matt, dit-il. En fait, je cherchais Caroline…

— Elle est à l'étage, en train de se faire une bonne mine, dit la femme avec un sourire, tout en installant les petites filles dans deux chaises hautes identiques. Elle va descendre d'ici une minute.

Parfaitement réconciliées, les deux petites se remirent à papoter dans leur langage. Caroline se maquillait donc ? pensa Matt, surpris. Autrefois, elle utilisait très peu de produits de beauté, et ne se maquillait jamais à la maison. Réfléchissant à ce que cela pouvait signifier, il prit place à la table de la cuisine. En face de lui, Jeb engloutissait des pancakes comme un puits sans fond. Pourquoi n'avait-il pas attendu dehors ? pensa-t-il, le cœur serré. C'était si difficile, la présence des enfants…

Jeb se pencha en avant, cherchant son verre de lait du bout des doigts.

— Où il est, ton chien ? demanda-t-il.

— Dehors.

— Je peux le caresser ?

Ses petites mains sombres dansaient sur la nappe, comme pour mimer des caresses anticipées.

— Non !

La brutalité de sa propre voix lui arracha une grimace. Sans rien dire, il se pencha pour pousser le verre vers la main de Jeb. Savannah dut voir son geste, car elle lui lança un sourire reconnaissant. Gêné, Matt se mit à regarder par la fenêtre.

— Je suis désolé, mais je te l'ai déjà dit : c'est un chien policier, pas une peluche.

— Jeb, tu ne t'approches pas de ce chien, c'est compris ?

— Mississippi ? demanda Matt avec un bref sourire.

— Pardon ?

— Votre accent… Vous venez du Mississippi ?

— De Géorgie, répondit-elle, mais mes parents étaient du Mississippi. Leur parler a dû déteindre sur moi.

Après un bref silence, elle reprit :

— Vous avez l'oreille.

— Je suis flic, répondit-il en haussant les épaules. Je remarque les petites choses.

Et pas seulement les accents. Il avait déjà repéré la façon dont Savannah se tenait : les épaules un peu voûtées, sans jamais lui tourner tout à fait le dos. Quelqu'un lui avait fait très peur… ou très mal. Il se demandait encore ce qui avait pu se passer, quand Caroline parut enfin, et il comprit pourquoi elle avait voulu se maquiller. A voir les cernes gonflés sous ses yeux, elle n'avait pas dormi mieux que lui. Pensait-elle vraiment le tromper avec un peu de fond de teint ?

— Bonjour ! dit-elle, un peu trop gaiement.

— Bonjour.

Ne sachant que faire de ses mains, il essuya les paumes sur les cuisses de son jean. Autrefois, il l'aurait saisie dans une étreinte d'ours, l'aurait embrassée jusqu'à ce qu'elle

40

retrouvât son sourire, jusqu'à ce que la joie vînt éclairer ses yeux battus. Ce temps-là était bien révolu.

— Tu manges quelque chose ? demanda Savannah à Caroline.

Celle-ci secoua la tête, posa sa main sur la petite tête crépue de Jeb et le secoua doucement.

— Bonjour, petit rebelle.

Le petit leva la tête pour lui sourire, ravi, les joues gonflées de pancakes.

— Bonjour, Caroline !

A bout, Matt sauta sur ses pieds.

— Je pensais que nous pourrions faire le tour de la maison, ce matin. Tu n'as qu'à m'expliquer ce que tu veux, et je dresserai la liste des matériaux nécessaires.

Elle le suivit sans commentaire et, ensemble, ils firent le tour des pièces comme deux étrangers, parlant de moquettes mitées à arracher, de planchers à vernir, de fenêtres gauchies à remplacer, de cuisine à moderniser et de buanderie à agrandir.

Le circuit du rez-de-chaussée achevé, ils se retrouvèrent dans l'entrée. Matt prit quelques notes et fit un mouvement vers l'escalier, mais Caroline s'accrocha à sa manche pour le retenir.

— Non. L'étage n'est pas en si mauvais état. Là-haut, il n'y a que mon logement et la chambre du bébé.

Instinctivement, il se raidit.

— Le bébé ?

— Une de mes petites pensionnaires n'a pas tout à fait cinq mois. J'ai déménagé sa chambre là-haut pour qu'elle soit à l'écart du bruit et de la poussière quand tu commenceras les travaux.

Il la suivit en hochant la tête. Pour l'amour du ciel, un bébé ! Comment pouvait-elle faire ça ? Le seul fait de penser à cette petite vie allongée là-haut, si vulnérable, si dépendante, lui faisait un mal atroce.

Caroline l'entraîna vers le fond de la maison, là où, disait-elle, se trouvait le plus gros des travaux. Il s'agissait d'un salon donnant sur une véranda à demi close.

— Ce sera le cœur de notre installation, expliqua-t-elle. Si on fait sauter ce mur, ce sera un très grand espace. Il faudrait clore la véranda, en laissant de grandes fenêtres. Ce sera comme un grand solarium, une salle de jeux spacieuse et ensoleillée.

Matt secoua un pilier d'angle de la véranda et sentit le bois pourri s'effriter sous ses doigts.

— Les gosses ont besoin de soleil, continuait-elle, mais tu connais le climat, par ici. La moitié de l'année, il fait trop chaud pour sortir, et le reste du temps, il gèle. Tu vois ce que je veux faire… Tu penses que c'est réalisable ?

— Ce bois est complètement fichu, répondit-il. Il faudrait reprendre toute la paroi.

Puis, voyant son air inquiet, il soupira.

— Je trouverai une solution. J'aurai besoin d'emprunter ta voiture pour aller chercher des matériaux. Et il me faudra des outils.

— Les miens sont sous l'appentis. Achète ce qui manque, je te donnerai de l'argent.

Lui lançant pour toute réponse un regard désapprobateur, il se dirigea vers la porte.

— Matt, attends !

Appuyée de l'épaule contre une porte moustiquaire disjointe, elle se mordillait la lèvre, cherchant ses mots.

— Est-ce que je t'ai jamais donné l'impression que je te reprochais… ce qui s'est passé ?

Il sentit le fauve lové dans sa poitrine s'étirer en grondant sourdement, prêt à se réveiller.

— C'est passé, justement, murmura-t-il. Quelle importance, maintenant ?

— Ce n'est pas une réponse.

— Qu'est-ce que tu veux entendre ?

— La vérité. Je veux savoir si tu as cru que je te rendais responsable, quand Brad est mort.

Haussant les épaules, il voulut se détourner mais elle le saisit par le bras.

— Matt ?

— A part les années où j'étais à l'armée, je prends soin de toi depuis tes douze ans. Je me suis toujours assuré que rien ne viendrait te faire de mal.

— Mais encore ?

— Eh bien, quand Brad a été malade, il y avait des moments où tu me regardais comme si tu ne comprenais pas pourquoi je permettais ça. Pourquoi je ne vous protégeais pas tous les deux…

— C'était une leucémie, Matt. Personne n'aurait pu nous protéger de ça.

Peut-être, mais il aurait pu contacter encore plus de médecins, essayer d'autres traitements, d'autres hôpitaux. Il avait emmené Brad en avion au Tennessee, à la clinique St Jude, le top du top aux Etats-Unis pour tout ce qui touchait aux cancers des enfants… Mais il aurait aussi pu contacter des centres de recherche en Europe. Il était son père, après tout, il aurait dû pouvoir faire quelque chose !

Il aurait aimé dire à Caroline qu'elle avait raison de le blâmer, mais rien ne sortait de sa gorge contractée. Ses mâchoires s'étaient crispées si violemment qu'il se demanda sérieusement s'il n'allait pas se briser les dents. Il y eut un lourd silence, puis la main de Caroline lâcha son bras.

— Je suis désolée. Je n'ai pas voulu ça. Que tu te sentes responsable…

Sans un mot, il descendit lourdement les marches de la véranda, remarquant à peine la façon dont elles cédaient sous son poids. Tout au fond de sa poitrine, le fauve se frayait un chemin à coups de griffes vers la lumière. Que Caroline le blâmât ou non pour la mort de Brad, ce n'était pas le problème. Il se blâmait lui-même.

Il espérait qu'en travaillant dur il n'aurait pas le temps de penser. Malheureusement, il découvrait que ce qui occupe les mains n'occupe pas toujours l'esprit. Bien au contraire… Le rythme des gestes répétitifs estompait sa conscience du présent, laissant ses pensées vagabonder à leur guise… Ce qui le ramenait toujours à Caroline.

Il venait de passer le plus gros de la semaine à arracher la façade arrière de la vieille maison, plaçant avec soin de nouveaux renforts et les joignant aux parties saines de la structure. La barrière en filet de plastique tendue autour du chantier empêchait Jeb d'approcher de la zone à risques, le rugissement de l'outillage électrique couvrait les cris du bébé à l'étage, et Caroline tenait les jumelles à l'écart… Mais rien, ni le bruit, ni l'effort, ne pouvait repousser ses souvenirs. Son cerveau tenait absolument à arpenter le champ de mines du passé.

Caroline et lui avaient continué à vivre ensemble pendant un an après la mort de leur fils. Un an, quasiment sans s'adresser la parole. Et voilà qu'aujourd'hui, à la veille de leur divorce, les sentiments et les paroles jaillissaient comme l'eau d'un barrage. S'il se sentait à ce point lacéré au bout d'une semaine, comment allait-il tenir un mois ?

La meilleure stratégie serait d'éviter systématiquement Caroline. Il ne cherchait pas à fuir ou à se protéger, bien sûr. Il s'agissait simplement d'une... *retraite tactique*.

Il sentit une présence derrière lui et ses entrailles se contractèrent. Lançant la planche qu'il venait d'arracher avec les autres, il jeta un coup d'œil par-dessus son épaule. Au lieu des yeux de caramel doré de sa femme, il croisa un regard noir étincelant.

Interloqué, il se retourna tout à fait. Une adolescente le couvait des yeux avec une intensité malsaine. Ses cheveux noirs et ternes pendaient sur ses épaules, effleurant à peine les bretelles du petit maillot moulant qui laissait son ventre à l'air. Pendant un instant, elle lui sembla très jeune et très innocente, puis elle glissa les pouces dans les poches de son jean moulant, le faisant descendre bien en dessous de l'anneau d'or qui perçait son nombril, et se déhancha, faisant ressortir sa petite poitrine. Il vit son regard remonter lentement le long de ses jambes, interrompre sa progression un instant avant de remonter sur son torse nu et ses épaules. Le temps que son regard revînt jusqu'au sien, elle semblait avoir le double de son âge réel et, lui, il se sentait plus vieux que la terre.

Posément, il descendit de son échelle, ramassa son T-shirt et l'enfila. Puis il lui tourna le dos et, sans remonter à son échelle, s'attaqua à la section suivante du mur, enfonçant le croc de son marteau dans le bois pourri, et tirant jusqu'à ce que les planches éclatent dans un craquement sinistre. Derrière lui, la fille s'approchait. Au fil de sa carrière, il en avait vu des centaines comme elle dans la rue.

— Qui que tu sois, va-t'en ! dit-il sans se retourner. Je travaille.

Elle vint se planter face à son profil, battant des cils comme un oiseau bat des ailes.

— Je suis Gem Millholland, dit-elle. Moi aussi, je suis contente de vous rencontrer.

— Très bien. Maintenant, sauve-toi.

Elle ne bougea pas d'un pouce.

— Vous êtes l'ex de Caroline, c'est ça ?

Il jeta une nouvelle planche sur la pile de bois à brûler.

— Pas encore, jeta-t-il.

Pas avant d'avoir terminé cette fichue maison, pas avant qu'elle n'ait signé les fichus papiers ! ajouta-t-il mentalement. Mais de toute évidence, Gem Millholland ne se préoccupait guère des démarches légales.

— Génial, dit-elle. Ça veut dire que vous êtes disponible.

— Je purge ma peine, grogna-t-il.

Gem eut un petit rire, se glissant encore un peu plus près. Quel idiot il faisait en l'encourageant malgré lui !

— Oui, compatit-elle, j'ai su qu'elle vous obligeait à réparer la maison.

Il refusa de réagir et, à sa grande surprise, elle disparut. Il se croyait tiré d'affaire quand, trente secondes plus tard, il entendit des pas rapides et sentit un objet glacé se presser entre ses omoplates. Le choc le fit sursauter violemment, et il arqua le dos pour échapper au contact.

— Vous avez chaud, hein ? Ça vous ferait du bien, une bonne boisson fraîche ?

Elle fit rouler le cylindre glacé dans son dos tandis que son autre main effleurait sa hanche, puis s'y agrippait pour le retenir. Ravalant un juron, il saisit cette main et se retourna. Assoiffé comme il l'était, il recula devant le grand verre de thé glacé qu'elle lui tendait, sans lâcher son poignet, pour mieux la tenir à bout de bras.

— Non, merci, dit-il avec un regard dur. Je ne veux pas de boisson, ni quoi que ce soit d'autre.

— Gem ?

Caroline émergea de derrière la maison et s'arrêta net, choquée par la scène qu'elle découvrait. Gem fixait le sol d'un air buté ; l'expression de Matt et sa façon de tenir le poignet de la fille montraient assez clairement ce qui venait de se passer. Un long instant, ils restèrent figés tous les trois, puis Gem pouffa, Matt se hâta de la lâcher, et la surprise de Caroline laissa place à la contrariété. Elle décida de commencer par Gem.

— Tu es encore en retard. Ça fait deux fois, cette semaine.

Gem esquissa une petite moue, se couvrit la bouche en écarquillant les yeux comme si elle était stupéfaite d'apprendre qu'il était si tard, et s'éloigna en ondulant des hanches. Elle n'avait pas dit un mot à Caroline ; sa pantomime s'adressait exclusivement à Matt.

Caroline se tourna vers lui.

— Quant à toi : vas-y doucement avec elle, d'accord ? Elle essaie de s'en sortir et ce n'est pas facile.

Matt leva les mains comme pour protester de son innocence.

— Moi ? Je suis poli avec tout le monde. Même quand on essaie de me violer.

Caroline n'apprécia guère le sarcasme.

— Qu'est-ce que tu comptais faire ? Lui passer les menottes ?

— Demande-lui plutôt ce qu'elle comptait faire, *elle* ! Je ne crois pas qu'elle essayait de me vider les poches.

Elle allait répliquer vertement quand elle vit son regard tourmenté. Non, décida-t-elle, elle ne lui ferait pas de reproches et, en un sens, elle ne pouvait pas en vouloir à Gem de lui faire des avances. Quelle femme resterait insensible devant ce grand corps si musclé, si bronzé ?

Tout à coup, elle eut envie de pouffer, elle aussi. Contrôlant cette impulsion absurde, elle marmotta :

— Je suis désolée. Gem a du mal à saisir en quoi consiste un échange normal entre deux adultes.

— Sans doute parce que ce n'est pas une adulte, grogna Matt.

— Elle a dix-sept ans, et elle va devoir se dépêcher de grandir. Elle a deux petites qui dépendent d'elle.

Les sourcils froncés, Matt enfonça les mains dans les poches de son jean.

— Les jumelles ?

Caroline hocha la tête.

— Leur père ? demanda-t-il encore.

— Il ne fait pas partie du tableau.

— Elle a dix-sept ans et les petites quatorze mois ?

Matt secoua la tête, atterré. Le calcul était facile ! Tête baissée, Caroline dessinait des lignes dans la poussière, du bout de sa chaussure en toile.

— Elle me fait penser à moi au même âge, murmura-t-elle soudain.

— Tu n'avais pas deux gosses sur les bras.

Elle encaissa la formule et s'interdit de réagir, malgré les larmes qui lui piquaient les yeux. Elle n'aurait jamais considéré un enfant comme un fardeau !

— J'aurais pu, dit-elle. J'étais plus jeune qu'elle quand je suis tombée amoureuse de toi. J'ai été enceinte avant d'être mariée.

Matt serra les poings.

— Tu n'avais pas quinze ans !

— Non, répliqua-t-elle avec douceur. Ça, tu t'en es assuré. Tu es parti jouer au soldat juste au moment où ça devenait sérieux entre nous.

— Je suis revenu.

— Cinq ans plus tard !

— Je suis revenu quand nous étions tous les deux à même de nous engager.

— Et j'étais enceinte un mois plus tard, tu te souviens ?

— Je ne risque pas d'oublier.

— Nous avons eu un enfant dès le commencement, murmura-t-elle, pensive. C'est peut-être pour ça que tout s'est effondré quand il n'a plus été là. Nous n'avions jamais appris à vivre ensemble, rien que tous les deux. Nous ne savions pas comment nous y prendre, et nous ne le savons toujours pas.

Matt ne lui répondit pas. Le visage parfaitement inexpressif, il ramassa ses outils et les rangea, un à un. Méticuleux, comme toujours. Qu'il aille au diable ! Elle savait exactement ce qu'il cherchait à faire. Cela faisait une semaine qu'il était ici et elle l'avait à peine vu ; il se cachait dans les décombres de son chantier pour ne pas être obligé de regarder sa vie en face.

C'était tout de même drôle : en tant que négociateur, la communication était son métier ! Et pourtant, à partir du diagnostic de la maladie de Brad, il s'était progressivement renfermé sur lui-même, coupant une à une toutes les voies d'échange. A la maison du moins ! Car, dans son travail, il se montrait meilleur que jamais. Les mois qui avaient précédé leur séparation, c'était comme s'il ne pouvait plus parler qu'à ses preneurs d'otages.

49

A la longue, elle les aurait presque jalousés. Au moins, quand ils parlaient, Matt les écoutait réellement. Parfois, il lui arrivait même de leur répondre !

Ecartant d'un coup de pied une planche abandonnée, elle rentra dans la maison, furieuse. Cette fois, elle ne se laisserait pas ignorer. Cette fois, il allait devoir la regarder en face, et regarder leur passé en face. Il ne pouvait l'éviter à tout jamais : elle ne le laisserait pas faire.

Matt hésita un instant. Ce ton de voix trop gai ne lui disait rien qui vaille : elle préparait quelque chose.

Toujours avec cet entrain inquiétant, elle sortit de la cuisine en lançant par-dessus son épaule :

— Je jette un coup d'œil au bébé et on pourra commencer.

Il n'eut pas le temps de répondre, de lui dire qu'à son avis il valait mieux renoncer. Elle avait déjà disparu à l'étage et il ne la suivrait pas là-haut pour tenter de la faire changer d'avis. Une fois de plus, il maudit l'orage qui fondait sur eux. Depuis deux jours, depuis la scène avec Gem, il avait réussi à éviter Caroline et aussi, Dieu merci, les enfants dont elle s'occupait. Voyant le temps se gâter, il s'était dit que la pluie lui donnerait l'occasion de prendre son après-midi, et de rendre visite à de vieux copains au bourg. Pas de chance : Caroline lui avait demandé un coup de main à l'intérieur. Elle voulait accrocher des ventilateurs aux plafonds.

Des ventilateurs ! Ils allaient se retrouver à deux sur un escabeau, il pourrait sentir son parfum de lavande, voir sa poitrine se soulever à chacune de ses respirations... Les paillettes dorées de ses yeux scintilleraient à quelques centimètres des siens. Ils parleraient, et la conversation reviendrait inévitablement au même point.

Pourquoi ne comprenait-elle pas ? Il préférait négocier avec le diable en personne plutôt que de tenter de lui expliquer pourquoi il ne voulait pas d'enfant, pendant qu'elle braquerait sur lui son regard furieux et désespéré.

Lourdement, il referma la porte de la cuisine derrière Alf et sentit la poignée de cuivre bringuebaler dans sa main. Il ferait bien de la réparer, car n'importe qui pourrait forcer cette serrure… Il jeta un regard circulaire sur cette pièce en passe de devenir son purgatoire, et son cœur se serra. Un parfum de brownies au four, une douzaine de gribouillages multicolores fixés au réfrigérateur par des aimants. Une petite auto-mitrailleuse abandonnée devant l'évier, à l'endroit parfait pour faire trébucher Caroline. Le son d'un clavier électronique martelé sans le moindre discernement lui parvenait de la pièce voisine ; ces images, ces sons, ces parfums étaient ceux d'une vie de famille. *Sa* vie, quelques années plus tôt.

Il marcha droit vers la porte qui lui faisait face, traversa la salle à manger où Jeb malmenait son clavier et se réfugia dans le salon. Là, il se mit à marcher de long en large en cherchant à reprendre ses esprits.

Que faisait Caroline ? Et qu'allait-il lui dire quand elle redescendrait enfin ? Quel silence, soudain ! Mal à l'aise, il tendit l'oreille, finit par aller se planter au bas de l'escalier. Pas un son. Le clavier s'était tu.

— Caroline ?

Pas de réponse.

— Caroline ? Jeb est là-haut avec toi ?

Toujours rien. Jurant à mi-voix, il retourna vers la salle à manger.

La salle à manger était déserte. Fébrile, il fit le tour des pièces... et finit par trouver Jeb dans la cuisine, avec Alf. Le sang battant dans ses tempes, il fondit sur lui en rugissant :

— Qu'est-ce que tu fais là ? Qu'est-ce que je t'avais dit ?

Jeb, qui pressait son visage dans la fourrure d'Alf, releva brusquement la tête et braqua sur lui ses yeux aveugles. Ses bras maigres s'agrippèrent plus étroitement au cou du chien. Inquiet, l'animal chercha à se dégager.

Hors de lui, Matt attrapa l'enfant au vol et, le tenant par les bras, le souleva à hauteur de son visage. Ses petites baskets se balançaient bien au-dessus du sol.

— Je t'ai demandé ce que tu fichais, martela-t-il.

Les yeux sombres du petit se fermèrent, sa bouche s'ouvrit toute grande, et il émit un hurlement strident, insoutenable.

Les cheveux se hérissèrent sur la nuque de Matt. Dans un mouvement réflexe pour sauver ses tympans, il manqua laisser choir le gamin, puis réussit à le poser sur ses pieds. Le son s'interrompit aussi brutalement qu'il avait commencé ; Jeb était accroupi sur le sol froid de la cuisine, sa petite poitrine se soulevant comme un soufflet de forge, une expression démente dans ses yeux morts. Matt respira à fond, attendit un instant que ses nerfs cessent de crépiter, puis il effleura du bout des doigts le genou tremblant du garçon.

— Dis donc, petit...

Rapide comme un écureuil, celui-ci bondit sur ses pieds, lança un coup de pied furieux dans la cheville de Matt et fila sous la table. Tapi contre le mur, il se roula en boule et resta là, la tête enfouie entre ses bras, à se balancer en hoquetant, secoué par des sanglots nerveux.

Horrifié par son propre geste, Matt contempla l'enfant, impuissant. Pour l'amour du ciel, qu'avait-il fait ? Derrière lui, il entendit une galopade de pieds nus. Caroline se jeta dans la pièce, se retenant au chambranle de la porte pour s'arrêter.

— Qu'est-ce qui se passe ? s'exclama-t-elle.

Voyant le petit garçon blotti sous la table, elle se précipita à genoux près de lui, et lui tendit les mains.

— Hé, petit rebelle ! Je suis là. Tu as un problème ? demanda-t-elle avec une douceur infinie.

Le garçon ne réagit pas, et se blottit plus étroitement sur lui-même. Caroline braqua sur Matt un regard incandescent.

— Qu'est-ce qui s'est passé ? articula-t-elle. Qu'est-ce que tu lui as fait ?

Matt aurait voulu s'expliquer, mais ses pieds étaient paralysés, la paralysie l'envahissait tout entier, et il ne pouvait plus respirer. Quand elle vit qu'il ne dirait rien, sa bouche se crispa avec une expression de mépris implacable.

— Dehors ! lâcha-t-elle à voix basse mais furieuse. Sors tout de suite de chez moi.

Trébuchant, il recula d'un pas, puis d'un autre, tourna les talons et sortit. Derrière lui, il pouvait encore l'entendre murmurer, chantonner des mots tendres, des mots d'enfant. Il avait réussi à échapper à la maison, il se retrouvait au grand air, mais il ne respirait pas mieux.

La pluie tombait toujours. Caroline poussa la porte grinçante, émergea sous la véranda et tomba en arrêt devant la silhouette voûtée assise sur les marches.

— Je te croyais parti, dit-elle d'une voix neutre.

Le grand corps de Matt était cassé en deux, coudes sur les genoux, tête basse. Il semblait si malheureux que sa colère s'envola. Comment aurait-elle pu le détester plus qu'il ne se détestait lui-même en ce moment ?

— Je voulais être sûr... qu'il allait bien.

— Il va bien, maintenant.

Il lui avait fallu près d'un quart d'heure pour le calmer. Installé à la table de la cuisine, il jouait avec un doigt une musique funèbre sur son clavier électronique, en serrant dans son autre main le verre de chocolat glacé qu'elle venait de lui offrir.

Epuisée, elle eut envie de s'asseoir près de Matt, mais décida de rester debout.

— Dis-moi ce qui s'est passé.

Il se redressa lentement et péniblement. Quand il se tint droit, il avait retrouvé toute sa prestance, mais ressemblait à un accusé face à son jury.

— Je ne voulais pas lui faire de mal...

— Tu ne lui as pas fait de mal.

— Je lui ai fait peur…

Elle soupira, et s'assit sur la balancelle qu'il venait de réparer quelques jours plus tôt.

— Il prend facilement peur, dit-elle en tournant la tête vers lui. Il a… de très bonnes raisons d'avoir peur des hommes costauds comme toi.

Elle vit sur son visage l'instant où il saisissait la situation.

— Je m'en doutais un peu, marmonna-t-il. J'ai bien vu la façon dont Savannah se tenait, comme si elle était toujours prête à esquiver une attaque.

— Jeb aussi…

Elle vit ses yeux s'écarquiller et sut qu'il avait tout compris.

— Ses yeux ? demanda-t-il.

— Son père l'a jeté contre un mur quand il avait dix mois.

— Et Savannah n'est pas partie ?

— Elle est partie. Il l'a retrouvée.

Matt se figea, les poings serrés.

— J'espère que ce salopard est en taule, articula-t-il.

— Il en a pris pour six mois, dit Caroline en mettant la balancelle en mouvement du bout de son pied. Il est sorti depuis longtemps.

Par chance, Jeb était resté à l'intérieur. Il n'entendit donc pas la litanie de jurons que dévida Matt.

— Qu'est-ce qui s'est passé, à l'instant ? demanda-t-elle pour la troisième fois, si doucement que le lointain grondement du tonnerre couvrit presque ses paroles.

— Je lui ai dit de ne pas caresser Alf.

— Tout ça pour un chien ? s'exclama-t-elle avec un rire sans joie.

— C'est très risqué ! Alf n'a pas l'habitude des enfants. Il pourrait mal réagir.

— Sans surveillance, ça pourrait être risqué.

Matt la regarda sans comprendre. Elle précisa :

— Ce serait si dangereux de le laisser caresser ton chien, si tu étais à côté de lui ?

— Non.

— Alf adorait jouer avec Brad. Jeb pourrait lui lancer des bâtons.

— Pas question.

— Pourquoi ? Qui est-ce que tu cherches à protéger, au fond ? Jeb ou toi ?

Elle se leva, et alla se planter devant lui pour attendre sa réponse.

— Qu'est-ce que tu veux dire par là ? demanda-t-il.

Un éclair traversa le ciel, éclairant un instant son visage. L'orage reprenait de la violence, et elle dut élever la voix pour se faire entendre.

— Tu ne supportes même pas de regarder un enfant ! s'exclama-t-elle. N'importe quel enfant !

Il ne nia pas. Elle lui tourna le dos, contempla les éclairs au loin et croisa frileusement les bras sur sa poitrine.

— Tu dis que tu veux reprendre le fil de ta vie, te tourner vers l'avenir, mais tu ne peux pas. Parce que tu n'as pas encore accepté ton passé.

— Parce que je ne veux pas un autre enfant, comme toi ?

— En partie.

— Tu penses qu'un autre bébé arrangerait tout ? Qu'il me ferait oublier Brad ?

D'un geste fébrile, il plongea les mains dans ses cheveux blonds en désordre.

— Caroline ! Les bébés ne sont pas interchangeables !
On ne peut pas décider d'en faire un nouveau, comme on
prend un chiot quand un vieux chien crève !

Le tonnerre fit trembler la vieille maison, le sol sous
leurs pieds vibra et Caroline frémit convulsivement. Elle
avait été stupide... Stupide de penser qu'une année de
séparation changerait quelque chose, stupide de quitter
Matt sans lui dire qu'elle était enceinte. Elle espérait
qu'avec le temps il ferait son deuil comme elle avait fait
le sien. Ou, tout au moins, que sa souffrance s'atténuerait
un peu. Elle espérait qu'il serait capable d'aimer un autre
enfant. Elle se trompait.

Matt se leva, s'éloigna de quelques pas, puis revint vers
elle. En passant devant la porte d'entrée, il s'arrêta quelques instants pour tendre l'oreille. Apparemment tout à
fait remis, Jeb martelait son clavier au hasard, en répétant
la même strophe d'une comptine. Il riait.

— Comment est-ce que tu supportes d'entendre ça tous
les jours ? demanda-t-il.

Le cœur serré, elle comprit qu'il ne parlait pas de la
façon dont le petit massacrait sa chanson, mais des sons
émis par un enfant qui s'amuse. *Les sons de la vie.*

Le tonnerre se tut, la pluie reprit sa chute patiente, et un
rayon écarlate filtra du côté du couchant. Dans la cuisine,
Jeb trouva un accord particulièrement discordant. Fermant
les yeux, Caroline sourit à demi.

— Comment est-ce que tu peux t'en passer ? demanda-
t-elle.

Oh, et puis, au point où il en était...

Soulevant sa bouteille, il en avala la moitié. Un type
en chemise de cow-boy semblait déterminé à faire passer

au juke-box tout le répertoire de Jimmy Buffet. Le temps qu'il termine, il y avait cinq bouteilles vides sur la table devant Matt. La sixième était encore à moitié pleine.

Emergeant de ses réflexions obscures, il remarqua tout à coup les bottes qui s'étaient immobilisées devant lui. Des bottes luisantes, avec des talons assez massifs pour servir de cale à une voiture. Entre le haut des bottes et l'ourlet de la jupe très courte, on voyait de longues cuisses fines et bronzées. Lentement, il leva la tête.

Les yeux rieurs, Gem se lécha délicatement les lèvres.

— Tiens, c'est Monsieur Ne-me-touchez-pas ! s'écriat-elle en posant son tout petit postérieur sur la chaise la plus proche.

Le voyant s'écarter avec prudence, elle se mit à rire.

— Et moi qui vous croyais trop sage pour entrer dans un endroit pareil !

— Qu'est-ce que tu fiches ici, Gem ?

Elle tendit la main vers sa bière, et il se hâta de la mettre hors de sa portée.

— Parce qu'il me faut une raison ? demanda-t-elle en minaudant.

— Où sont les jumelles ?

Elle eut un mouvement brutal de recul.

— Elles vont bien.

— Je m'en doute. Avec Caroline, il ne peut rien leur arriver. Mais toi, tu as presque trois heures de retard.

Un instant, il crut déceler une expression fugitive de chagrin sur son visage délicat... Puis le masque dur et provocant reprit sa place.

— Bon, si c'est pour me faire la morale...

Repoussant bruyamment sa chaise, elle voulut s'éloigner, mais il la saisit par le poignet.

— Tu n'as pas l'âge légal pour être ici, et tu es en liberté surveillée.

— Alors appelez les flics ! s'exclama-t-elle en se débattant, furieuse.

— Je *suis* un flic.

Elle se figea, et pâlit d'un seul coup.

— Je... Elle ne me l'a pas dit.

— Je m'en doute. Alors, qu'est-ce que tu fiches ici ?

— Ma... voiture ne démarrait pas. Un type a proposé de m'emmener. Il voulait s'arrêter ici un petit moment. Maintenant qu'on est en ville, je peux peut-être emprunter une voiture pour aller chercher Max et Rosie...

— Tu vas devoir trouver mieux, comme histoire.

— Je vous assure ! piailla-t-elle en tentant de nouveau de se dégager.

— Où est ce type ?

Si cet homme existait vraiment, Matt aurait deux mots à lui dire... Emmener une mineure dans un bar pareil !

— Ce n'est pas exactement un type. Plutôt un garçon... Un jeune de mon âge.

Elle regarda autour d'elle, scrutant les tables peu peuplées, la pénombre du billard au fond de la salle.

— Je ne le vois plus. Je ne comprends pas...

— C'est ça !

Matt la lâcha enfin, la fit pivoter vers la porte et la poussa devant lui.

— Allez, viens, on y va.

— Où est-ce qu'on va ?

Sa voix s'envolait dans les aigus. Au fond, pensa-t-il, elle n'était rien de plus qu'une enfant effrayée.

— Chercher tes petites, répondit-il d'une voix bourrue.

Il aurait donné beaucoup pour ne pas retourner chez Caroline ce soir, mais il ne pouvait laisser Gem ici.

— Caroline te ramènera chez toi. Tu as bu quelque chose ? demanda-t-il.

— Non !

Dans les ténèbres du parking mouillé, il se tourna pour scruter son visage.

— Je vous assure ! lança-t-elle.

— Bien, dit-il en lui tendant les clés du pick-up emprunté à M. Johnson. Alors, c'est toi qui conduis.

Malgré les apparences et le comportement de Gem, il lui semblait tout à coup que Caroline ne se trompait pas. Cette fille avait une longue route à parcourir mais, avec l'aide de Caroline, elle pouvait très bien s'en sortir.

— C'est elle ? demanda Savannah.

— Je ne sais pas, répondit Caroline.

Elle mordilla l'ongle de son pouce, s'aperçut qu'elle l'avait rongé jusqu'au vif et laissa retomber sa main.

— Pourvu que ce soit elle ! Il *faut* que ce soit elle.

— Jeb, va dans la cuisine, s'il te plaît, dit Savannah derrière elle.

— Je veux rester pour la dispute !

— Il n'y aura pas de dispute. Dans la cuisine.

— Oh, m'man…

— Vas-y, petit rebelle, dit Caroline en riant. Il y a des cookies aux pépites de chocolat dans la boîte en forme de vache, juste à gauche de l'évier.

Même avec cette perspective pour le motiver, l'enfant s'éloigna lentement, à pas comptés, et ce n'était pas parce qu'il redoutait de rencontrer un obstacle.

Caroline se retourna et sursauta violemment en découvrant Matt sur le pas de la porte.

— Qu'est-ce que... ? s'exclama-t-elle.

Il frotta ses pieds sur le paillasson, ouvrit la porte moustiquaire, entra... et Caroline vit enfin la jeune fille qui se cachait derrière lui. Quand il se retourna pour la tirer à l'intérieur, il le fit avec douceur.

— Gem ?

— Je suis désolée, Caroline, dit-elle en fixant le plancher.

Caroline s'approcha de quelques pas, et renifla.

— C'est de la bière que je sens ? demanda-t-elle.

— Ce n'est pas moi, c'est lui !

Elle leva la tête vers Matt, qui se contenta de hausser les épaules et de se diriger vers la cuisine.

— Je peux me faire du café ? interrogea-t-il sans se retourner.

Elle aurait bien refusé, mais il n'était déjà plus dans la pièce. Inquiète, elle se souvint que Jeb venait d'être envoyé dans la cuisine. Ce serait bien fait pour Matt si le petit s'enfuyait à son approche... Il n'avait qu'à attendre une réponse avant de faire comme chez lui !

Gem raconta une histoire embrouillée au sujet de sa voiture qui ne démarrait pas et d'un jeune, appelé J. J., qui lui avait proposé de l'emmener, pour disparaître ensuite en la laissant dans un bar. Le temps qu'elle termine son récit, Matt était de retour, apparemment sorti indemne de sa rencontre avec Jeb. Avait-il réussi à tout arranger avec le garçon ? Se retournant vers Gem, elle soupira. Par-dessus tout, la jeune fille avait besoin d'un pôle fixe dans sa vie, d'une personne qui sût l'aimer sans rien lui passer. Malgré la tendresse dont elle débordait, malgré tout ce que Gem avait déjà enduré, ce soir, il lui fallait se montrer inflexible.

— Gem, je vais devoir avertir la personne qui supervise ta période de probation.

Les épaules minces de Gem tressautèrent, ses mains d'oiseau se transformèrent en poings.

— Non ! S'il vous plaît, non…

— Je n'ai pas le choix. J'ai déjà ramené Max et Rosie chez tes parents d'accueil pour la nuit. Tu vas devoir expliquer pourquoi tu n'étais pas là pour les prendre toi-même.

— Mais ils vont m'envoyer devant le juge !

— Il y aura une audience, oui.

— Je vais perdre mes bébés ?

— Ce sera au juge de décider.

Dans un hurlement strident, Gem se jeta sur Caroline. Tout de suite, le grand corps de Matt s'interposa. La petite le heurta de plein fouet, trébuchant dans ses bottes massives ; il la saisit aux épaules pour la soutenir. Le visage convulsé, elle lançait des coups de griffe derrière lui en hurlant toujours :

— Vous ne pouvez pas faire ça ! Je vous déteste ! Vous m'entendez ? Je vous déteste et vous le regretterez !

Puis elle se laissa tomber sur le plancher en sanglotant.

Caroline voulut se précipiter, et Matt la retint à son tour.

Ce fut Savannah qui ramena le calme. Se blottissant près de Gem, elle la laissa pleurer un moment. Quand elle sentit qu'elle acceptait sa présence muette, elle la souleva à demi, la réconforta, l'aida à se remettre sur ses pieds et l'entraîna vers la porte en lui parlant sans cesse à voix basse, lui frottant le dos et lui serrant les mains. Elle lui

62

donnait ce contact humain dont elle avait été privée pendant son enfance, et dont elle avait tant besoin…

Sur le seuil, elle saisit son sac au passage et se retourna un instant vers Caroline.

— Je la ramène chez elle, dit-elle à mi-voix. Jeb peut rester ?

Muette, Caroline accepta d'un signe de tête. Lorsque les deux femmes eurent disparu, la tension s'évacua de son corps en un long soupir épuisé. Elle s'aperçut alors que Matt la tenait toujours par la taille. Son regard vert était fixé sur elle, presque hypnotique.

— Ça va ? demanda-t-il.

— Oui, bien sûr…

Un instant, elle crut pouvoir écarter d'un haussement d'épaules ce qui venait de se passer. Puis les larmes l'étranglèrent brutalement, et elle fit un effort pour s'écarter de Matt. Il n'était plus son protecteur, à présent, et elle ne devait pas avoir besoin de lui. Sans savoir où se tourner, elle vacilla un instant et sentit ses bras se refermer autour d'elle. Renonçant à se dégager, elle enfouit son visage contre sa poitrine solide et pleura tout son soûl.

Dès que Matt eut de nouveau les idées claires, il se maudit. Avait-il tout à fait perdu la tête ? Il ferait mieux de penser au meilleur moyen de s'échapper d'ici ! D'ailleurs, s'il cédait à l'envie de toucher sa femme, il ne ferait que préparer la prochaine rupture. Ce soir, Caroline était peut-être assez bouleversée pour accepter qu'il la réconforte, mais, dès le lendemain, elle n'aurait plus qu'une hâte : se débarrasser de lui.

Cela ne l'empêchait pas, néanmoins, de rester un peu plus longtemps ce soir... Juste pour s'assurer qu'elle était tout à fait remise.

Quand Caroline redescendit, le café était prêt et il lui en versait une tasse.

— Jeb va bien ? demanda-t-il.

— Il dort à poings fermés. Il m'a posé au moins mille questions sur le problème de Gem, en répétant tous ses gros mots au moins deux fois pour s'assurer qu'il les avait bien entendus. Et il veut toujours caresser Alf.

— On verra, marmotta-t-il.

Caroline goûta son café et se laissa tomber sur le canapé. Prudemment, il s'assit en face d'elle.

— Je pensais que tu serais parti.

— C'est plutôt toi qui prends la porte dans les moments difficiles.

Elle se figea, la tasse à mi-chemin de ses lèvres. Excédé, il se laissa aller au fond de son fauteuil.

— Ecoute, je suis désolé. Je ne sais même pas pourquoi j'ai dit ça.

— Pas de problème, répliqua-t-elle avec raideur. Au moins, pour une fois, tu es sincère.

Il y eut un silence inconfortable, puis Matt fit un effort pour relancer la conversation.

— Alors dis-moi... C'est quoi, le problème de Gem ?

— L'histoire classique. Ses parents ne s'occupaient pas d'elle, et on l'a placée dans un foyer d'accueil. On a trop tardé à intervenir, elle était déjà enceinte. Elle a été arrêtée deux ou trois fois pour vol à l'étalage. Rien de bien grave. Elle s'était juste fait des amis peu recommandables. Elle veut vraiment s'occuper de ses petites.

— Tu crois vraiment que c'est la meilleure solution pour elles ?

64

Caroline réfléchit très longuement, et finit par déclarer :

— Ce n'est pas ma décision.

— Mais si tu le pouvais, tu prendrais soin de ces gosses toi-même. Et de leur mère.

Elle ne chercha pas à le nier, allant même jusqu'à sourire. Matt secoua la tête.

— Tu as toujours voulu ramasser les chiens errants du quartier.

— Ce sont des enfants, pas des chiens errants.

— D'accord, j'ai mal choisi mes mots... Je voulais dire que tout le monde s'en fiche, sauf toi.

— Ce n'est pas vrai. Savannah ne s'en fiche pas, la famille d'accueil non plus. Pas plus que le gérant du restaurant où elle travaille. Nous sommes bien une douzaine à...

Il leva la main pour l'interrompre.

— Bon, d'accord ! Message reçu !

Elle sauta sur ses pieds et marcha droit vers lui, les yeux étincelant de fureur.

— Non, je ne crois pas que tu aies bien reçu le message !

Il se leva à son tour, voulut battre en retraite.

— Caroline...

— Parce que tu as oublié comment te préoccuper de qui que ce soit, à part toi-même et tes preneurs d'otages. Tu as oublié ce que c'est qu'aimer et être aimé.

— Je n'ai pas oublié, Caroline, répondit-il avec douceur.

— Alors pourquoi est-ce que tu ne le montres jamais ? s'écria-t-elle.

— Parce que je n'en suis plus capable. Je n'ai pas le cœur à regarder les gosses tomber et s'écorcher le genou, et pleurer quand ils perdent leur doudou préféré, et...

— Et tomber malades, et mourir ?

Il ferma violemment la bouche, respira lentement et réussit à articuler :

— J'allais dire : et laisser des inconnus les ramasser et les emmener dans des bars mal famés.

— Bien sûr, dit-elle en lui tournant le dos.

Presque malgré lui, il tendit la main, passa les doigts à travers le lourd rideau de ses cheveux pour toucher la peau de satin de sa nuque. A son contact, ses muscles tressautèrent mais elle ne se dégagea pas. Il se mit à masser doucement ses épaules, les pétrissant pour apaiser leur tension.

Une idée nouvelle s'imposait à lui. Sous ses mains, il la sentait lutter pour reprendre le contrôle d'elle-même et il commençait à mesurer à quel point il avait pris, au cours des dernières années de leur vie commune, sans rien donner en retour. Quel égoïsme, de sa part, de s'accrocher à elle si longtemps ! Etre mère, c'était aussi naturel pour elle que de respirer. A cause de ses choix à lui, à cause de ses angoisses, elle était obligée de vivre sa vie sans la seule chose qu'elle eût jamais désirée : un enfant à elle.

Il avait fallu qu'il la vît avec Jeb, les jumelles et même Gem pour le comprendre enfin. S'il ne voulait ni ne pouvait lui donner un enfant, il devait la laisser libre de trouver quelqu'un d'autre.

L'image de Caroline avec un autre homme lui tordit les entrailles, et une nausée lui fit remonter un goût de bière à la bouche.

— Je suis un minable, je sais, dit-il avec un effort. Je ne t'ai jamais méritée, et maintenant je te mérite encore moins.

Elle pivota vers lui. Incapable de renoncer au contact de sa peau, il laissa sa main sur son épaule.

— Qu'est-ce qui te fait dire ça, tout à coup ? demanda-t-elle.

— Tu aimes les gosses dont tu prends soin ici. En fait, ce n'est pas trop tard pour toi, tu le sais ?

— Trop tard pour quoi ?

Il promena le bout de son pouce sur son cou, sentit le pouls qui battait si furieusement sous la peau. C'était si bon de sentir la vie jaillir en elle, de savoir que ce qu'il faisait était juste, même si ça le déchirait.

— Pour avoir un enfant à toi.

— Tu me proposes tes services ?

— Non. Je suis trop vieux pour élever un autre bébé.

— A trente-neuf ans, on n'est pas encore à la retraite.

— Tu as perdu le fil. J'ai eu quarante ans il y a deux mois.

— Et alors ? Avoue, tu as peur d'avoir un bébé.

Malgré la boule énorme qui obstruait sa gorge, il réussit enfin à admettre la vérité.

— Oui. J'ai peur d'avoir un bébé. Après tout ce qu'on a enduré avec Brad, avec tout ce que je vois dans mon travail, je ne suis pas d'accord pour prendre le risque. Mais toi, tu as encore le temps. Tu pourrais trouver quelqu'un d'autre.

Cette suggestion la frappa comme une bombe. Elle sentit quelque chose en elle se recroqueviller et mourir.

— C'est pour cela que tu veux tout terminer entre nous ? Pour que je puisse avoir ce que je veux ? Ou simplement pour soulager ta conscience ?

— Moi, je n'ai pas perdu la notion du temps. Dans quelques mois, tu auras trente-sept ans. Tu entres déjà dans une catégorie à risque pour une nouvelle grossesse. Si tu ne trouves pas quelqu'un assez rapidement, ce sera trop tard.

— Comment sais-tu que je n'ai pas déjà trouvé quel-qu'un ?

Elle voulut prendre un air de défi, et ne réussit qu'à avoir l'air pathétique.

— Je te connais depuis toujours, dit-il avec tendresse. Je pourrais te faire n'importe quoi, tu aurais encore l'impression de me tromper.

— Alors tu te débarrasses de moi pour mon bien ? Pour que je puisse me trouver un jeune étalon capable de me donner ce que je veux ?

Elle eut un petit rire tremblant et soupira :

— Je crois que je suis trop vieille pour élever un nouveau mari.

Il sourit à son tour. Un sourire un peu faible, mais un sourire tout de même.

— Qui te dit que tu serais obligée de l'épouser ?

— Matt !

— Il y a énormément de femmes seules qui élèvent leurs bébés !

Elle sentit ses doigts se glacer et chercha sa tasse de café, pas pour l'avaler mais pour se réchauffer les mains.

— Je m'y vois déjà, dit-elle. Je mettrai ma gaine et mon soutien-gorge pigeonnant, je me décolorerai les cheveux et j'entrerai dans un bar. Entre deux quintes de toux, à cause de la fumée, j'irai me planter devant un petit jeune avec de gros muscles. Il faudra brailler pour me faire entendre par-dessus leur musique de dingues, mais je lui dirai : « Excusez-moi, vous avez l'air génétiquement adéquat. Vous voulez bien me faire un enfant ? »

D'un geste nerveux, Matt fourra ses mains dans ses poches.

— Génétiquement adéquat ? répéta-t-il.

— Tu sais bien : grand, les épaules larges, de bonnes dents...

— C'est pour ça que tu m'as choisi ? Parce que j'étais génétiquement adéquat ?

— Non. Toi, je t'ai choisi pour tes mains.

Spontanément, elle prit les mains de son mari dans les siennes. Elle les avait toujours aimées, avec leurs doigts longs et solides, leurs cals et leur paume aussi douce que la peau de Hailey.

— Tu as de bonnes mains, Matt.

Etourdie par sa propre audace, elle souleva leurs mains jointes et y pressa sa joue.

— Caroline..., dit-il d'une voix tremblante.

— Reste avec moi ce soir, souffla-t-elle, le cœur battant.

— Je ne peux pas.

Elle ne savait pas elle-même ce qu'elle cherchait à faire, s'il s'agissait d'audace ou d'inconscience, mais elle vit ses épaules se voûter, et sentit ses muscles se durcir. Au prix d'un effort, il articula :

— Je dois recommencer à vivre, Caroline. Avant d'être tout à fait mort.

Recommencer à vivre. Sans elle... Qu'il aille en enfer ! Après plus d'un an de séparation, cela n'aurait pas dû faire aussi mal, de comprendre que c'était fini.

Il se penchait vers elle, et ses grandes mains rudes caressaient son menton avec une douceur déchirante.

— Caroline, il faut qu'on passe à autre chose, tous les deux !

— Je devrais peut-être te remercier de me rendre ma liberté ? balbutia-t-elle, partagée entre la fureur et les larmes. C'est chevaleresque de ta part, de me donner ta permission de trouver quelqu'un d'autre ! En fait, tu me pousses quasiment dans son lit ? Je n'ai jamais été avec un autre que toi, Matt, je n'ai jamais voulu quelqu'un d'autre. Tu crois que c'est si facile d'oublier…

Elle se tut abruptement. Un éclair venait de se faire dans son cerveau, une nouvelle idée qui lui donnait le vertige. Elle était restée fidèle… mais Matt voyait peut-être les choses autrement. Quand il répétait qu'ils devaient tous deux passer à autre chose, cela voulait-il dire qu'il avait déjà franchi le pas ? Trouvé quelqu'un d'autre à aimer ?

Une explosion de terreur, de jalousie et de rage s'empara d'elle. Elle se sentit durcir comme un nuage de sable qui fusionne en une plaque de verre.

— Caroline…, répéta-t-il en la saisissant aux épaules. Ça va ?

Il semblait si inquiet qu'elle crut qu'il se moquait d'elle. Incapable de parler, aveuglée par les larmes, elle repoussa ses mains et se précipita vers la porte. Dans son bureau minuscule, elle balaya des piles de factures impayées de sa table de travail, arracha des tiroirs, cherchant fiévreusement une certaine enveloppe. Ses mains tremblaient si fort que son nom fut à peine lisible quand elle l'écrivit à côté de celui de Matt, en bas de la convention du divorce. Puis elle courut vers l'escalier, trouva la rampe à tâtons, monta en trébuchant, atteignit le palier et tourna à droite.

Il ne lui restait plus qu'un seul refuge. Que Matt aille chercher son avenir où il voudrait. Elle avait déjà le sien, pensa-t-elle en tombant à genoux tout contre le berceau. Hailey, sa douce Hailey, son soleil, sa vie, son bébé… Prenant la petite dans ses bras, elle posa un baiser sur sa joue de velours. Malgré toutes ses tentatives pour les retenir, les sanglots lui déchiraient la gorge ; sa poitrine brûlait, ses larmes tombaient sur la couverture de la petite.

Hailey se mit à protester et elle relâcha son étreinte, mais trop tard. Le bébé était bien réveillé, et troublé par la détresse de sa mère. Une plainte chevrotante s'éleva dans la pénombre de la pièce. Péniblement, Caroline se remit sur pied, l'emporta vers la fenêtre en murmurant des mots de réconfort. Derrière elle, elle entendait le pas de Matt avancer lentement le long du couloir. Affolée, elle berça la petite qui gémissait toujours.

— Non, chut... Je t'en prie...

Il s'encadra dans la porte, bloquant la lumière du couloir. Elle sentit son ombre tomber sur ses épaules comme un poids physique.

— Caroline ? Ça va ?

Muette, tremblante, elle fixa le grand ciel nocturne par la fenêtre, en priant pour qu'il s'en aille sans rien dire de plus. Malgré elle, son regard ne cessait de revenir au reflet de Matt dans la vitre. Il se tenait juste devant la porte, comme si le seuil représentait un obstacle infranchissable.

— J'ai signé tes fichus papiers, dit-elle sans se retourner. Ils sont en bas, sur le bureau.

— On ne peut pas signer comme ça, répondit-il à mi-voix. Il faut le faire devant notaire.

— Alors on ira en ville demain, lança-t-elle dans un sanglot étranglé. On les fera notarier !

— Caroline...

De quel droit parlait-il de cette voix inquiète, presque tendre, puisqu'il ne l'aimait pas ?

Il fit un pas vers elle.

— Non, dit-elle. Tu n'as pas le droit. Plus maintenant.

Dans la vitre, elle le vit hésiter, s'approcher tout de même.

— Je suis désolé. Je n'ai jamais voulu...

— Garde ta pitié, je n'en veux pas.

71

— Tu vas m'écouter, oui ?

La violence de sa voix la terrifia, comme la colère sur son visage. Planté dans le rai de lumière qui tombait du couloir, il ressemblait à un dieu romain courroucé, sûr de son bon droit, mais tout de même déchu...

— Je suis désolé de ne pas pouvoir te donner ce que tu attends de moi. Je suis désolé de ne pas pouvoir être l'homme que tu voudrais.

Des excuses, maintenant ? Tout à coup, elle vit rouge. Serrant le bébé entre ses bras, elle se retourna brusquement pour lui faire face. Il contempla sans comprendre le petit être blotti contre elle, qu'il remarquait pour la première fois.

— Qu'est-ce qu'elle fait ici à cette heure ?

— Elle vit ici.

Il fronça les sourcils, ouvrit la bouche, et la referma sans rien dire. Le petite pressa son visage contre Caroline en vagissant doucement.

Elle savait bien que ce n'était pas la bonne façon de le mettre au courant. De lui apprendre le miracle ! Pas dans un mouvement de colère... Pourtant, il y avait trop de souffrance, trop de rage en elle pour qu'elle pût encore se taire.

Le regard braqué sur celui de Matt, elle fit passer le bébé sur un bras, souleva son T-shirt et défit maladroitement la fermeture de son soutien-gorge d'allaitement. Puis elle offrit son sein au bébé.

— C'est notre fille, dit-elle. Elle s'appelle Hailey.

— Impossible !

Alors même qu'il prononçait le mot, la vérité se coula en lui, aussi sournoise qu'un serpent dans les herbes. *Sa fille*. Il ressentit une sorte d'horreur.

Caroline leva la tête et il vit la lune briller sur ses joues.

— C'est possible. Elle est là, et ce que tu penses n'y change rien, assena-t-elle.

— Mais on n'a pas...

Si, ils avaient fait l'amour au cours de leurs derniers mois de naufrage. Pas souvent, mais ils l'avaient fait tout de même. Il serra les poings comme pour étrangler le souvenir de leurs chairs mêlées... Trop tard, les images étaient déjà lovées dans son cerveau.

— Nous prenions toujours nos précautions.

Elle ne prenait plus la pilule depuis que leur vie s'était effondrée. Pour quoi faire ? Matt ne lui donnait guère de raisons de se préoccuper de contraception. Au cours de la dernière année, les rares fois où ils se tournaient l'un vers l'autre pour apaiser leur chagrin, il se servait toujours d'un préservatif. Même quand elle lui demandait de ne pas le faire. Même quand elle le suppliait. Même la dernière fois, quand elle s'était mise à pleurer en le voyant tendre la main vers la table de nuit.

Il lui avait fait l'amour, et elle s'était mise à pleurer.

Convaincu qu'elle disait la vérité, il recommença pourtant le calcul. La dernière fois, c'était environ un mois avant son départ. Treize mois de séparation, neuf mois de grossesse : un bébé conçu cette nuit-là aurait... entre quatre et cinq mois.

Le premier jour, elle lui avait dit qu'il y avait à l'étage un bébé dont elle s'occupait et qui avait presque cinq mois. Il aurait dû comprendre tout de suite. Il y avait tant de signes, à commencer par son corps plus rond, plus épanoui, et le fait qu'elle fût capable de sourire, alors que lui-même... Il aurait dû comprendre.

— Les préservatifs ne sont pas efficaces à cent pour cent, dit-elle d'un ton guindé qui ne lui ressemblait pas. Tu dois bien le savoir.

Il baissa les yeux, vit ses propres mains s'ouvrir et se refermer convulsivement, sans qu'il pût rien faire pour les contrôler. Bien sûr qu'il le savait ! Et elle aussi, ajouta une petite voix soupçonneuse dans sa tête. Il risqua un regard vers elle, vit un poing menu s'agiter près de son sein et se hâta de détourner les yeux.

— Comme c'est commode..., articula-t-il, les dents serrées.

Elle se raidit.

— Je ne crois pas t'avoir forcé à faire quoi que ce soit.

Il se souvint de la musique apaisante qui flottait dans la chambre ce soir-là, des bougies sur la commode, de la tentation d'une chemise de nuit translucide, vert menthe, qu'il n'avait jamais vue auparavant.

— Non, dit-il brutalement. J'étais partant.

74

— Désolée, Matt, tu ne peux pas tout avoir. Tu fais l'amour, tu prends le risque de faire un bébé. C'est la vie.

— Et certains jours, les probabilités sont plus élevées que d'autres, n'est-ce pas ? demanda-t-il méchamment.

— Tu crois peut-être que j'ai saboté tes préservatifs ?

— Tu en serais capable. Non, je ne crois pas ça.

Passant la main dans ses cheveux, il marmonna, presque sans s'entendre lui-même :

— Peut-être, je ne sais pas... Bon sang, je ne sais pas.

Elle braquait sur lui un regard glacé.

— Tu voulais un bébé, accusa-t-il.

— Et toi, tu voulais juste coucher avec ta femme ? Coucher avec n'importe qui ?

Ce silence... C'était sûrement un aveu. Lui tournant le dos, elle posa sa fille dans son berceau.

Elle n'avait sans doute pas été une très bonne épouse pendant la maladie de Brad et après sa mort, mais, de son côté, lui non plus n'avait pas été un très bon mari. Il ne faisait qu'arpenter la maison, cette maison qu'ils avaient décorée ensemble avec tant de soin, et passer de pièce en pièce comme un fantôme, sans la voir ni l'entendre. Elle ne se laisserait pas reprocher le tour qu'avait pris leur vie sexuelle.

— Quand nous avons fait l'amour, dit-elle sans se retourner, mon unique objectif était de retrouver mon mari. Celui qui avait disparu sans rien dire au cours de nos quinze ans de mariage.

Il y eut un silence, puis il déclara à mi-voix :

— Alors, je crois que personne n'a eu ce qu'il voulait, cette nuit-là.

Elle en eut le souffle coupé. Quand elle réussit à se reprendre, elle acheva maladroitement de border Hailey. Il était terrible de devoir l'admettre, mais en un sens il avait raison. La dernière fois qu'ils avaient fait l'amour, elle avait conçu Hailey. Cela, elle ne le regretterait jamais ! Pourtant, en tombant enceinte, elle avait cassé le dernier lien fragile qui la reliait à son mari et à leur vie commune. Cette soirée romantique, orchestrée comme une tentative désespérée, les avait en fin de compte séparés pour toujours.

Et Matt, que voulait-il, cette nuit-là ? Elle n'en avait aucune idée.

Le regard fixé sur elle, Hailey pédala énergiquement, repoussant sa couverture. Caroline sentit une onde de chaleur monter dans sa poitrine ; le courant d'amour entre Hailey et elle était si tangible qu'il éclairait la chambre.

— Tu ne veux pas la voir, Matt ? demanda-t-elle à mi-voix, sans cesser de sourire à sa fille. Tu ne veux pas la tenir dans tes bras ?

Elle releva la tête. Le regard de Matt sautait, affolé, d'un angle à l'autre de la chambre. Partout, sauf vers le berceau. Il recula d'un pas.

— Non.

Elle cessa de sourire.

— C'est ta fille.

— Je suis désolé, haleta-t-il en tirant le col de sa chemise comme s'il l'étranglait. C'est ma fille, mais ça ne veut pas dire que je peux être son père.

En fin de compte, les accusations de Matt lui laissaient plus de tristesse que de chagrin. Elle prenait seulement conscience, une fois de plus, du gouffre qui les séparait.

Elle aurait dû savoir qu'elle ne devait rien attendre de lui ! Car elle avait perdu son mari bien avant de quitter la maison avec quelques bagages et sa grossesse cachée.

D'abord son travail, ensuite son chagrin... Elle était sortie vaincue de toutes les batailles.

Si seulement il s'était mis en colère ! S'il avait pu crier, pleurer, au lieu de passer devant elle sans la voir... Au lieu de se retrancher dans sa bulle étanche, lui accordant seulement un regard de ses yeux terribles, remplis d'angoisse.

Un son dans le couloir interrompit net le fil de ses pensées. Un frottement léger, un souffle... Une ombre à peine perceptible venait de bouger près de la porte de la salle de bains.

— Jeb ? demanda-t-elle à mi-voix.

Elle s'avança, Hailey sur son épaule. Pressé contre la porte de la salle de bains, Jeb se recroquevillait, la bouche ouverte, les yeux écarquillés. Elle se pencha, posa la main sur son bras, et sentit son pouls affolé.

— Qu'est-ce qui se passe, mon grand ? demanda-t-elle en lui frottant le dos.

— Il est parti ? demanda le garçon, le souffle court.

— Matt ? Oui, il est parti.

Jeb se redressa, tournant la tête vers l'escalier.

— Il va revenir ?

— Non, mon grand. Pas ce soir, en tout cas.

— Tu es sûre ? Tu n'as pas fermé la porte à clé.

— Je le ferai avant de me coucher.

Attirant le garçon contre elle, elle l'entoura de son bras libre.

— Tu n'as pas à avoir peur de Matt !

— Il t'a fait du mal, marmotta-t-il contre son épaule.

— Non. Il ne m'a pas fait de mal.

En tout cas, pas de la façon dont le père de Jeb lui avait appris que les hommes pouvaient faire mal aux femmes et aux petits garçons. Jeb se dégagea, approchant son visage du sien. A la faible lueur de la lune, il ressemblait plus à un vieil homme qu'à un enfant de cinq ans. Il posa les mains de part et d'autre de son visage, plaquant ses paumes sur ses joues humides.

— Il t'a fait pleurer.

— Il m'a juste rendue triste, c'est tout…

— Parce qu'il n'aime pas Hailey ?

Le cœur de Caroline se serra brutalement. Jeb avait-il surpris leur conversation ? Que pouvait-il comprendre de la situation ?

Elle chercha un moyen de lui expliquer les choses… Comme s'il y avait une explication à donner !

— Ce n'est pas que Matt n'aime pas Hailey… Un bébé, c'est une très grosse responsabilité.

— Il ne veut pas de « sponsabilité » ?

— Non. Pas en ce moment.

Doucement, Jeb caressa la petite tête de Hailey.

— Moi, je l'aime, Hailey.

Caroline lui sourit dans l'ombre.

— Merci.

Il ne sourit pas en retour. Le visage de nouveau tourné vers l'escalier, son front se plissa et un tremblement parcourut ses frêles épaules.

— Lui, je l'aime pas.

Elle prit sa main dans la sienne et se redressa en soupirant.

— Je sais, dit-elle.

Elle l'entraîna dans la grande chambre. Ils seraient trois, ce soir, dans son grand lit vide. Matt avait encore réussi à effrayer Jeb. Certes, il ne pouvait pas savoir que le garçon les écoutait. Cependant, c'était sa faute si elle se sentait si affaiblie et si seule… Juste au moment où elle commençait à apprécier son indépendance !

— Il y a des moments où moi non plus je ne l'aime pas, dit-elle.

— Matt, c'est toi ?

Il s'immobilisa, la main sur la rampe.

— Oui, madame Johnson. Je suis désolé de vous avoir réveillée.

Elle repoussa une mèche grise de son front.

— Il est tard. M. Johnson et moi, nous étions inquiets.

Matt avait le sentiment qu'un ballon se gonflait dans sa poitrine, plus gros et plus fragile à chaque respiration. Combien de temps pourrait-il encore contenir l'explosion ? Il ne le savait pas, mais elle serait terrible. Il essaya de ne pas respirer trop profondément.

— Je suis désolé de vous causer du souci. Il n'y a pas de problème.

Si ce n'était que sa vie venait d'être bouleversée du tout au tout…

— Ah, bon, reprit Mme Johnson en tripotant machinalement les manches de sa robe de chambre. Nous pensions que cette vieille camionnette t'avait claqué dans les mains.

— Oh, non… Elle roule bien. C'est très gentil à vous de me l'avoir prêtée.

Il allait lui souhaiter une bonne nuit et s'enfuir dans sa chambre quand il se ravisa. Ce moment en valait un autre pour demander encore un service à ce vieux couple au cœur d'or.

— Je me demandais, si vous ou M. Johnson n'étiez pas trop pris demain matin, si l'un de vous pouvait me déposer à l'arrêt du car. Je vais repartir à Port Kingston.

Il avait décidé cela quelques minutes plus tôt, en dévalant l'escalier de Caroline. Il ne pouvait rester ici, et d'ailleurs elle ne s'y s'attendait certainement pas. Après cette soirée, elle refuserait sans doute de lui ouvrir sa porte s'il avait le front de se présenter là-bas !

Le dossier du divorce n'avait plus de sens, puisqu'il ne prévoyait rien pour l'enfant. Il rentrerait donc à Port Kingston, demanderait à l'avocat de tout recommencer ; ensuite, le plus simple serait d'envoyer les formulaires à Caroline par la poste. Entre-temps, il trouverait une entreprise locale qui se chargerait de terminer les travaux.

Mme Johnson jeta un coup d'œil par-dessus son épaule. M. Johnson venait d'émerger à son tour. Matt dut retenir un sourire en découvrant brièvement les genoux cagneux du vieil homme entre les pans de sa robe de chambre de flanelle.

— Ed ? Matt dit qu'il s'en va demain matin.

La voix de la vieille dame chevrotait un peu. Etait-ce la vieillesse, ou regrettait-elle sincèrement de le voir partir ? Emu, il comprit qu'il y avait un peu des deux.

— C'est vrai, petit ? demanda M. Johnson en plissant les yeux.

Encore une fois, Matt faillit sourire. Personne ne l'appelait plus « petit ».

— Oui, monsieur.

— Tu emmènes ta femme avec toi ?

Matt se sentit rougir violemment.

— Ah… Non, monsieur.

— Je vais faire du café, soupira la vieille dame.

Dans un raclement bruyant, son mari tira une chaise de la table de la cuisine, prit sa chope attitrée sur l'étagère et s'installa.

— Assieds-toi, dit-il en tapotant la table.

Il parlait exactement comme le grand-père de Matt. Quand le vieil homme prenait ce ton, on ne discutait pas. Matt s'installa à son tour avec un soupir. Irrité par sa propre passivité, il décida de prendre l'offensive.

— Je vous avais prévenu quand j'ai loué la chambre… Je vous avais dit que Caroline et moi allions divorcer.

Son interlocuteur lâcha une petite exclamation de dérision.

— Pour moi, ça ne ressemble pas beaucoup à un divorce… Je te vois aller là-bas tous les jours pour refaire sa maison !

— Je voulais juste l'aider à préparer les locaux pour aménager sa crèche.

— La maison est finie ?

— Non.

— Alors tu t'en vas sans terminer ce que tu as commencé ?

Matt eut une grimace involontaire. Pour des gens comme les Johnson, c'était un véritable péché.

— Je vais trouver des ouvriers pour terminer.

Mme Johnson servit le café de son mari. Il le goûta, fit la grimace, et leva un regard outré vers sa femme.

— C'est du déca, expliqua celle-ci, agacée. Si tu bois du vrai café à cette heure-ci, tu ne dormiras pas de la nuit.

M. Johnson leva les yeux au ciel, sans rancœur particulière : c'était plutôt un code familial entre mari et femme. Caroline et lui avaient de telles habitudes, autrefois. Matt avait presque oublié…

Prenant bien son temps, soufflant sur son café et le goûtant tour à tour, M. Johnson exposa judicieusement son point de vue.

— Moi, je dirais que cette maison n'est pas la seule chose que tu laisseras terminer par quelqu'un d'autre, si tu rentres à Port Kingston maintenant.

— Ed..., murmura sa femme. Laisse ce garçon tranquille.

Matt lui lança un bref sourire pour la remercier de son intervention. Dans ses yeux, il lut une telle compassion qu'il comprit qu'elle savait tout. Bien sûr, il aurait dû se douter que les Johnson étaient au courant, au sujet de Hailey. Caroline et lui les connaissaient depuis toujours, ils étaient les voisins les plus proches de la maison sur la colline. Combien d'autres personnes étaient informées, d'ailleurs ? Tout le bourg, sans doute. Humilié, il vida sa tasse de café et la posa avec précaution sur la table.

— Je ferais bien de monter faire mes bagages.

Cette fois, il put regagner sa chambre sous les combles. Quelques minutes plus tard, une porte à l'étage inférieur se referma. En quelques gestes, il jeta ses affaires dans son sac de marin et le boucla. Il était prêt, et il lui restait... six heures avant le lever du jour !

Se laissant tomber sur l'un des lits jumeaux, il croisa les mains sous sa nuque et ferma les yeux. Si seulement il pouvait aussi couper le film qui se déroulait dans son esprit ! Il revoyait sans cesse Caroline, les traces de larmes sur ses joues transformées en argent fondu par la lune, le bébé blotti dans ses bras.

Tu ne veux pas la voir, Matt ? Tu ne veux pas la tenir dans tes bras ?

Se redressant d'une détente, il posa les pieds sur le sol. Même s'il s'était senti capable d'accepter un bébé dans sa vie, la fracture entre Caroline et lui était trop grave : il y avait trop de souffrance — l'ancienne et la nouvelle. Ce serait un environnement épouvantable pour élever un enfant.

La petite serait mieux ici, à Sweet Gum, avec Caroline et sa maisonnée d'inadaptés. Elle serait mieux sans lui.

L'espace d'une seconde, il se demanda si les Johnson avaient quelque chose à boire en bas, dans le placard d'angle de la salle à manger. Puis cette impulsion passa, comme elle passait toujours. De temps en temps, il aimait bien prendre un verre ou même plusieurs, mais il ne s'était jamais tourné vers l'alcool pour se détendre après une journée difficile. D'ailleurs, il n'avait guère de mauvaises habitudes. Il buvait rarement, ne fumait pas, ne jouait pas pour de l'argent. Il n'avait jamais trompé sa femme. Un authentique enfant de chœur, un saint ! Et tout ça pour quoi ? Cela ne l'avait pas aidé à sauver son fils, ni son mariage. Cela ne l'avait pas préservé de la pire ironie du sort, qui venait de lui donner la petite fille tant attendue, une fois qu'il ne la désirait plus. Il ne méritait rien de tout cela, et il en avait assez d'être un saint.

Il descendit l'escalier à pas de loup, Alf sur ses talons ; le cliquetis des griffes du chien lui semblait assourdissant dans la maison silencieuse. Un peu d'air, voilà ce qu'il lui fallait. Son sac était prêt, il n'avait qu'une douzaine de kilomètres à parcourir. Il irait à pied, et prendrait le premier car le lendemain matin. Quelle importance ? Qu'il restât dans sa chambre mansardée ou qu'il suivît la route poussiéreuse sous la lune, il ne dormirait pas, cette nuit-là.

Il griffonna un mot à l'intention des Johnson, y plia un chèque et partit, son sac sur l'épaule, Alf près de lui. La nuit était tiède. Il marchait d'un bon pas, et l'étau de sa poitrine commençait à se desserrer un peu. Tout alla bien jusqu'au moment où la route passa devant le chemin de terre qui montait vers la maison de Caroline. Un autre chemin descendait vers l'étang, et il entendait y chanter les grenouilles. Sans décision consciente, il se retrouva tout à coup assis sur la berge, sous le vieux saule pleureur qui les avait abrités si souvent, Caroline et lui.

Quelle paire ils faisaient, à se cacher de la curiosité du voisinage sous ce rideau de branches retombantes, à parler pendant des heures de tout ce qu'ils feraient plus tard, de leurs futures carrières, de leur maison, de leur famille. Ils étaient si jeunes, si idéalistes... si stupides.

D'un geste automatique, il leva la main, et trouva le moignon de branche arraché par la foudre bien des années plus tôt. La cassure avait été recoupée et soignée, et sur la surface lisse, il trouva les lettres qu'il cherchait. *M.B. aime C.E.* Matt Burkett aime Caroline Everett... Il sourit dans l'ombre. Le jour où il avait gravé cette inscription, il avait vingt ans, Caroline à peine seize. Il s'était contenté de l'embrasser chastement, en lui expliquant qu'il reviendrait la chercher dans quelques années. Il l'avait juré. Si elle n'avait pas changé d'avis, il l'épouserait et ils vivraient ensemble à tout jamais. Ces lettres gravées dans l'arbre étaient sa promesse.

Entre cette fille grave et ardente et la femme d'aujourd'hui, il y avait une différence fondamentale. Cela ne tenait pas seulement au passage des années ou à l'expérience... Non, c'était autre chose. La sagesse, peut-être ?

Le souvenir de Caroline au clair de lune devant la fenêtre, le bébé dans ses bras, les larmes brillant sur ses joues de marbre... Cette image ne le quitterait pas de long-temps. Son visage, au moment où il l'accusait de l'avoir manipulé... Il aurait aussi bien pu la gifler. Et pourtant, elle lui avait tout de même demandé s'il voulait prendre sa fille dans ses bras.

Hailey. Il répéta le nom plusieurs fois en silence, puis s'obligea à le dire tout haut. Une lente vague se leva en lui, une vague puissante mais indéfinissable. De la colère ? Non. S'il y avait une innocente dans cette histoire, c'était bien Hailey. Des remords ? Peut-être. Le chagrin de ne pas être le père que Hailey mériterait d'avoir ? Non, il connaissait bien le chagrin et ce qu'il ressentait en ce moment allait plus loin. La nostalgie, voilà ! Quelque chose en lui se tendait de toutes ses forces vers ce qu'il ne pourrait jamais demander.

Il leva les yeux vers la maison sur la colline. Plus de lumières : Caroline devait dormir. Il aurait été absurde de la réveiller maintenant. Cela l'encouragerait à espérer.

Somme toute, Caroline n'avait pas à savoir. Elle dormait, seule dans sa chambre, et le bébé se trouvait au bout du couloir.

Il ne faisait que se torturer, il le savait, et pourtant il ne pouvait pas s'en empêcher. Une fois, une fois seulement, il fallait qu'il vît le visage de son bébé.

5.

En entrant dans la chambre de la petite, il retrouva le choc qu'il avait subi quelques instants plus tôt en apprenant son existence. La veilleuse en forme de canard luisait dans l'ombre, les clowns suspendus au-dessus du berceau braquaient sur lui leurs sourires moqueurs ; les animaux de la tapisserie semblaient prêts à bondir sur une proie.

Rassemblant tout son courage, il fit un pas vers le berceau silencieux. Il n'entendait rien. Rien du tout, pas de ronflements ténus de bébé, pas de petits soupirs. Seigneur, allait-elle bien ?

Dans une panique subite, il se précipita sur le berceau, se pencha, souleva la couverture… Vide, le berceau était vide. Où était-elle ? Il crut que son cœur allait exploser.

Un claquement sec et le plafonnier s'alluma, inondant la chambre de lumière. Il se retourna d'un bond en levant le bras pour se protéger les yeux. Plissant douloureusement le visage, il découvrit Caroline, debout sur le seuil, dans une chemise de nuit légère et sans manches qui soulignait sa silhouette arrondie. A ses yeux éblouis, elle semblait briller d'une lueur surnaturelle. Un instant, le souvenir d'autres nuits tièdes d'été l'enveloppa. En rentrant de ses permanences de nuit, il s'arrêtait toujours dans la chambre de Brad, s'attardant quelques instants pour regarder dormir le petit. Elle le rejoignait là, en chemise de nuit, s'appuyait contre lui, et il finissait par se tourner vers elle pour la prendre dans ses bras. Combien de fois étaient-ils sortis sur la pointe des pieds de la chambre de Brad, impatients de faire l'amour ?

Pris au filet de ses souvenirs, Matt la contempla, retrouvant les seins ronds dont il se souvenait si bien, la longueur de ses jambes qui s'enroulaient autour de lui…

Caroline, elle, ne semblait souffrir d'aucune hallucination.

— Qu'est-ce que tu fiches ici ? demanda-t-elle.

Les souvenirs s'évanouirent. Il ne rentrait pas d'une permanence de nuit, et ce n'était pas la chambre de Brad. Brad était parti à tout jamais, comme les nuits dont il se souvenait.

— Je t'ai demandé ce que tu fichais ici, répéta-t-elle sèchement.

— Je… Je…

Il chercha une réponse, n'en trouva aucune. Comment un homme peut-il dire à sa femme qu'il s'en va, pour de bon cette fois, mais qu'il veut voir sa fille une seule fois avant de partir ? Un grognement sourd au pied de l'escalier le sauva. La tête de Caroline tourna abruptement vers le couloir.

— C'est Alf ? demanda-t-elle.

— Oui…, dit-il en fronçant les sourcils.

— Qu'est-ce qu'il a ?

— Je ne sais pas.

Il passa devant elle, sortit de la pièce et demanda à voix basse :

— Où est Jeb ?

En bas, Alf gronda un peu plus fort — un son sourd et menaçant. Frissonnante, Caroline souffla en retour :

— Il dort dans ma chambre.

— Hailey aussi ?

Elle hocha la tête.

— Reste avec eux. Ne laisse pas sortir Jeb.

Il se dirigea vers l'escalier. L'inquiétude du chien augmentait.

— En place, Alf, ordonna-t-il à mi-voix.

Instantanément, le chien se tut. Derrière lui, Caroline chuchota son nom et il se retourna vers elle.

— Qu'est-ce qui se passe ? demanda-t-elle.

La lueur dorée de la veilleuse lui faisait un halo. Il ne voulait pas l'effrayer mais il fallait qu'elle sache, pour protéger les enfants.

— Il y a quelqu'un dans la maison, dit-il en saisissant la rampe pour descendre sans bruit.

Luttant contre l'envie d'aller voir elle-même ce qui se passait, elle essaya de visualiser Matt en train de faire le circuit du rez-de-chaussée. Il n'y avait aucun bruit. Elle commençait à se rassurer quand tout à coup la voix de Matt lança :

— On ne bouge plus !

Elle se crispa, pencha instinctivement la tête au-dessus de celle de Hailey et serra Jeb plus étroitement contre elle. Des pas légers et rapides, étouffés par la distance, se précipitèrent vers l'arrière de la maison, suivis par la course plus lourde de Matt.

— J'ai dit : on ne bouge plus ! cria-t-il.

La porte de la cuisine claqua, elle l'entendit marmonner un juron et jeter :

— Va, Alf !

Les petits doigts froids de Jeb saisirent un pli de sa chemise de nuit. Doucement, elle lui caressa le dos, sentant ses vertèbres rondes sous la peau. La porte de derrière claqua de nouveau, et elle ne put retenir une exclamation involontaire d'angoisse. Matt poursuivait l'intrus. Elle ne pouvait plus respirer, elle avait la poitrine en feu. Pourquoi ne laissait-il pas l'homme s'enfuir ? Puisqu'il était parti, le reste n'avait plus d'importance ! Pourquoi le suivre ?

Parce que Matt était policier dans l'âme, pensa-t-elle avec amertume. C'était sa nature de se précipiter au-devant du danger, sans savoir ce qui l'attendait dans l'ombre, sans réfléchir... Levant la tête, elle risqua un coup d'œil par la fenêtre, mais on n'y voyait rien. L'immensité du Texas semblait avaler la lumière de la lune. Glacée, elle dut se mordre la lèvre pour empêcher ses dents de claquer. Pourtant, il faisait tiède !

Elle attendit, redoutant un coup de feu, un cri... Au moment où il lui sembla qu'elle ne pourrait supporter le silence un instant de plus, alors qu'elle allait bondir sur ses pieds pour se précipiter à sa recherche, il y eut une explosion. Non, un moteur ! Quelqu'un faisait rugir un moteur : les pneus crissaient, patinaient, trouvaient enfin une prise et le véhicule se ruait vers la route.

Elle tendit l'oreille pendant quelques instants. Il n'y avait plus rien. Lentement, elle relâcha Jeb — elle avait à moitié broyé le pauvre petit à force de le serrer contre elle — et se leva avec effort.

— Caroline ? lança la voix de Matt en bas.

Elle poussa un immense soupir de soulagement, et Jeb enfouit son visage contre sa jambe, ses petits poings toujours crispés dans sa chemise de nuit.

— Je suis là !

— Ne bouge pas, je fais juste le tour de la maison.

Mentalement, elle suivit son passage de pièce en pièce. Quand il lui donna le feu vert, elle reposa Hailey, qui dormait toujours paisiblement, dans son berceau, accompagna Jeb dans sa chambre, le serra longuement contre elle et descendit au rez-de-chaussée.

Toutes les lumières étaient allumées. Elle trouva Matt dans la cuisine et, sans réfléchir, se précipita contre lui. Il se raidit, hésitant un instant avant de refermer ses bras sur elle. Peu à peu, elle sentit les muscles durs de son dos s'assouplir sous ses paumes.

— Tout va bien, dit-il.

Son souffle dans son cou, sa repousse de barbe qui lui râpait l'oreille... Tandis qu'il la berçait contre lui, elle prit tout à coup conscience de ses seins pressés contre sa poitrine massive. Ses seins lourds et pleins, ultrasensibles, les mamelons dressés. Elle avait oublié cela : combien Matt lui semblait grand, solide et rassurant quand il la tenait dans ses bras. S'abandonnant quelques secondes à la sensation, elle posa sa tête contre sa poitrine, écoutant le tonnerre sourd de son cœur. Un instant encore, elle savoura son étreinte, puis elle se dégagea.

— Qu'est-ce qui t'a pris de le poursuivre tout seul ? demanda-t-elle d'un ton plus acerbe qu'elle ne l'aurait voulu.

Il recula d'un pas en l'écartant prudemment de lui.

— J'essayais d'attraper un malfaiteur peut-être ? répondit-il, comme s'il hasardait une réponse à une devinette.

— Pour quoi faire ? Il aurait pu être armé !

Il passa un bras derrière lui, le ramena et elle vit qu'il tenait un long pistolet sinistre. Un Glock, calibre 9 mm.

— Où est-ce que ...

Elle ne termina pas sa phrase. Matt était occupé à vérifier son arme en quelques gestes habiles et bien rodés. Le mécanisme s'ouvrit avec ce petit déclic si familier qu'elle détestait, comme toutes les femmes de policiers — mais ce fut un autre son qui interrompit sa question. Une respiration effrayée, une plainte aiguë, tout de suite interrompue. Alors qu'il allait remettre la sécurité, Matt s'immobilisa, le regard fixé derrière elle. Elle se retourna et découvrit Jeb, agrippé au chambranle de la porte comme un naufragé à sa bouée. Il tremblait de tout son corps.

Un instant plus tard, il pivota et s'enfuit, ses pieds nus martelant le plancher puis les marches. Une porte claqua. Avec un soupir, elle se dirigea vers la porte pour monter le rejoindre. Sur le seuil, elle se retourna un instant.

— Il n'y a rien dans cette maison pour un cambrioleur, dit-elle. Rien qui mérite que tu risques ta peau.

Ses yeux brillants se braquèrent sur elle.

— Ce n'était pas un cambrioleur.

Elle haussa les sourcils, perplexe, suivit son regard vers le mur du nouveau solarium qui englobait maintenant l'ancienne salle à manger... et sentit son sang se glacer. Un instant, elle fut heureuse que Jeb se fût enfui ; puis elle se souvint qu'il ne voyait rien. Car l'intrus avait laissé un message, tagué à la bombe en grosses lettres rouges qui gouttaient le long de la cloison.

Vous paierez. Du sang pour du sang.

Passée déposer des vêtements de rechange pour Jeb, Savannah venait d'entendre le récit des événements de la nuit. Sa présence faisait un bien énorme à Caroline, mais celle-ci répondit pourtant :

— Non, tu as ton travail. C'était déjà gentil de préparer le petit déjeuner...

— Sauf que tu n'as rien mangé, grogna son amie.

Elle réussit à lever la tête pour lui offrir un sourire fatigué.

— Je réchaufferai quelque chose tout à l'heure.

Elle était assise sur les marches de la véranda, les bras noués autour de ses genoux. Là-bas, Matt, Alf, et un envoyé du shérif local remontaient le chemin de l'étang. Tout en marchant, ils examinaient le sol, cherchant sans doute une trace, un objet que l'intrus aurait laissé tomber. A voir leurs visages, ils ne trouvaient rien.

Savannah posa la main sur son épaule, la serra doucement, et Caroline lui lança, avec une subite envie de pleurer :

— Tu n'as qu'à leur proposer toutes ces bonnes choses que tu as préparées.

Sauf que Matt ne resterait sans doute pas assez longtemps. Le bus de Port Kingston partait dans moins d'une heure. Savannah resta auprès d'elle quelques moments sans rien dire, puis rappela Jeb qui trottait, les mains tendues, vers les deux hommes.

— Tu rentres dans la maison avec moi et tu laisses ces gens traiter leurs affaires ! déclara-t-elle avec son accent inimitable.

Le petit la suivit en traînant les pieds, sans la protestation habituelle. Le pauvre sourire de Caroline s'éteignit. Le garçon était silencieux, ce matin, et ce n'était sûrement pas par manque de sommeil. Jusqu'ici, elle n'avait pas réussi à cerner exactement ce qu'il avait en tête. Quant à Matt... Si son retour la veille au soir restait un mystère, ses motivations, ce matin, semblaient bien trop évidentes.

92

Sombrement, elle regarda son sac de marin rebondi, rempli de ses affaires. Elle qui se demandait d'où sortait son arme... Dire qu'il était armé en entrant dans la chambre de Hailey, cette nuit ! S'il était venu avec ses bagages et son chien, cela voulait dire qu'il s'en allait. Qu'il leur tournait le dos, à elle et à sa fille. Qu'il se tournait le dos à lui-même, en somme.

Son attitude semblait incompréhensible : s'il partait, pourquoi s'était-il arrêté ici ? Pour faire ses adieux ? Dans ce cas, pourquoi se glisser dans la maison sans s'annoncer ? Pourquoi ne pas frapper à la porte, tout simplement ? Et que faisait-il chez Hailey ? Il venait de montrer clairement qu'il ne voulait aucun contact avec sa fille.

Une bouffée de fureur balaya les derniers vestiges de la frayeur de la nuit. Comme toujours, Matt n'écoutait que lui-même. Il ne s'était pas donné la peine de lui expliquer ce qu'il faisait, encore moins ce qu'il ressentait. Il ne lui avait pas demandé quels étaient ses propres sentiments. Il ne le faisait jamais, d'ailleurs.

Se remettant sur pied, elle épousseta son short et se dirigea à grands pas vers les deux hommes. Matt allait s'apercevoir qu'il n'était plus aussi facile de l'écarter, désormais. Elle en avait assez de lui et de ses projets... S'il tenait tant à partir, qu'il le fasse ! Elle parlerait elle-même à la police.

Quand elle s'approcha, les deux hommes tournèrent la tête vers elle. L'assistant du shérif souleva son chapeau.

— Madame...

Puis il se retourna vers Matt. Le regard qu'ils échangèrent tous deux la remplit de rage : elle retrouvait la communication entre policiers, rapide, efficace et totalement fermée au commun des mortels.

Elle serra les dents.

— Vous avez trouvé quelque chose ?

— Des empreintes de pneus, madame, mais je ne sais pas si ça va beaucoup nous aider. Beaucoup de gens viennent au bord de cet étang.

Il sortit un carnet, un vieux stylo, et lui demanda :

— Vous n'avez pas vu autre chose que ce que votre mari…

Mal à l'aise, il s'éclaircit la gorge, et corrigea :

—… que ce que M. Burkett m'a déjà dit ?

Elle ne releva pas. Visiblement, le voisinage au grand complet était déjà au courant pour le divorce.

— Non, je regrette. Matt et moi avons entendu quelque chose au rez-de-chaussée. Je suis restée auprès des enfants pendant qu'il allait voir.

Si l'homme se demandait ce que son futur ex-époux faisait à l'étage avec elle au milieu de la nuit, il eut la politesse de ne pas poser la question.

— Qui pourrait vous en vouloir ? Vous n'en avez aucune idée ?

Il jeta un regard à Matt, avant d'achever :

— A part la jeune fille, Gem Millholland.

Caroline se mordit la lèvre. Gem ? Il ne pouvait pas s'agir d'elle, ce n'était qu'une enfant. Elle se comportait si bien, elle faisait de tels efforts pour se prendre elle-même en charge, ainsi que ses bébés. Matt dut comprendre ce qu'elle pensait, car elle crut presque voir une lueur de compassion derrière son masque impénétrable.

— J'ai demandé à l'assistant du shérif de jeter un coup d'œil chez elle, déclara-t-il. Elle n'est pas là, Caroline. Elle est ressortie après que Savannah l'eut déposée, hier soir, et on ne l'a pas revue depuis.

— Oh, non ! Et les jumelles ?

— Toujours avec la famille d'accueil.

94

Caroline fronça les sourcils.

— Je ne peux pas croire qu'elle laisserait ses bébés.

— Il va bien falloir le croire.

Elle releva le menton.

— Ça ne veut pas obligatoirement dire que c'était elle. Savannah l'a ramenée chez elle…

— Elle a eu tout le temps de revenir jusqu'ici.

— Elle ne ferait pas ça.

Leur interlocuteur rangea son petit carnet.

— Si je comprends bien, elle était en colère contre vous, madame. Elle vous avait même menacée, plus tôt dans la soirée.

— Ce n'était qu'un malentendu. Elle était bouleversée.

Elle se tourna vers Matt pour lui demander son soutien, et, ne croisant qu'un regard opaque, se ferma à son tour. Bien sûr, elle ne pouvait pas s'attendre à être épaulée par lui. Il ne connaissait pas Gem comme elle la connaissait.

— Merci, Bill, déclara Matt. Vous me contacterez s'il y a quoi que ce soit au sujet de la fille ?

— Bien sûr !

Touchant le bord de son chapeau, l'homme se détourna en lançant la phrase traditionnelle sous ces latitudes.

— Prenez soin de vous, d'accord ?

Matt le salua à son tour et remonta à pas lents vers la maison.

— Ils la retrouveront ? demanda Caroline en le suivant.

— Ils passeront quelques coups de fil et ouvriront l'œil. C'est surtout une question de courtoisie entre policiers.

— C'est tout ?

95

— Nous n'avons pas grand-chose : juste une fugue et un vandalisme mineur. Je doute qu'ils en parlent aux informations nationales. De toute façon, ajouta-t-il en lui jetant un regard par-dessus son épaule, tu ne crois pas que ce soit elle, n'est-ce pas ?

— Non, je n'y crois pas. Enfin, j'espère bien que ce n'est pas elle !

— Alors, que veux-tu qu'ils fassent ?

— Je veux qu'on la retrouve, Matt. La famille d'accueil ne peut pas s'occuper des jumelles à plein temps. Si elle ne revient pas, les services sociaux vont les lui retirer.

Il poussa un grognement.

— A mon avis, ce serait arrivé de toute façon, tôt ou tard.

Outrée, elle s'arrêta, les mains sur les hanches.

— Quand es-tu devenu aussi épouvantablement pessimiste ?

L'homme qu'elle avait épousé riait facilement, faisait confiance aux autres, croyait en lui-même. La réponse lui vint malgré elle. Cet homme, elle l'avait enterré en même temps que leur fils.

Il se retourna si brusquement qu'elle faillit se heurter à lui. Planté sur le chemin abrupt, il la dominait de toute sa hauteur, et elle avait presque le nez sur sa poitrine. Une poitrine large, bien musclée, un peu de peau hâlée à l'échancrure de sa chemise... Elle renversa la tête en arrière pour voir son visage.

— Je ne suis pas pessimiste, dit-il. Juste réaliste.

La puissance masculine qui émanait de lui la troublait, et le fait de rester si sensible à sa présence la bouleversait encore plus.

— Tu ne vas même pas envisager la possibilité que ce soit quelqu'un d'autre ? demanda-t-elle.

— Qui ?

Elle réfléchit, et ne trouva rien.

— C'est bien ce que je me disais.

Tournant les talons, il reprit son chemin vers la maison. Hérissée par sa condescendance, elle passa devant lui et gravit les marches de la véranda, afin de pouvoir le prendre de haut à son tour.

— Ce n'est qu'une gosse, Matt, pas une délinquante endurcie. Mais on ne peut pas te demander de te préoccuper d'une inconnue alors que tu ne supportes même pas la vue de ta propre fille !

Un feu s'alluma dans les yeux d'opale levés vers elle, mais l'expression de Matt demeura paisible. Pourtant, elle sentait qu'il accusait le coup.

— Il ne s'agit pas de nous, Caroline.

— Ah ? Qu'est-ce que tu faisais dans la chambre de Hailey cette nuit, Matt ? Pourquoi es-tu revenu ?

Ses mâchoires se crispèrent, le feu de son regard s'éteignit et elle sentit son cœur se transformer en cendres. Sachant ce qu'il allait dire, elle décida de le devancer, de s'épargner la souffrance de l'entendre de ses lèvres.

— Tu es venu faire tes adieux.

— Caroline…

Elle pivota alors, traversa la véranda et posa la main sur la poignée bringuebalante de la porte.

— Alors va-t'en, lança-t-elle.

Il ne bougea pas.

— Je t'ai dit de t'en aller ! Hailey et moi n'avons que faire de tes adieux.

Malgré elle, elle jeta un regard en arrière. Le regard perçant de Matt était braqué sur elle.

— Je ne peux pas, avoua-t-il enfin.

— Comment ?

— Je ne peux pas partir maintenant.

Il dirigea les yeux vers le message, qui déployait ses lettres rouge sang sur le mur du solarium.

— Jusqu'à ce qu'on ait retrouvé Gem Millholland, ou jusqu'à ce qu'on sache avec certitude qui est responsable, je m'installe chez toi.

6.

— Tu ne crois pas que tu exagères un peu ?

Matt leva les yeux vers Caroline, plantée sur le pas de la porte. Il revenait juste de Sweet Gum, où il avait acheté tous les verrous et détecteurs de mouvement qu'il avait pu trouver.

— Non, répondit-il.

— Tu ne penses pas sérieusement que Gem soit dangereuse ?

— Non, répéta-t-il.

En fait, il voyait Gem comme une fille impulsive, assez imprudente, et peu douée pour choisir ses amis. Dangereuse ? Non. Et pourtant, quelque chose dans la situation ne sonnait pas juste. Si seulement il parvenait à cerner ce qui l'inquiétait !

— Dans ce cas, pourquoi transformer ma maison en Fort Knox ? demanda-t-elle.

— Parce que je ne compte pas lui laisser l'occasion de me prouver que je me trompe.

Elle haussa un sourcil.

— Et pour ça, tu es prêt à dormir sur mon canapé pendant trois semaines ?

Il chercha à gagner du temps, alignant ses achats sur son établi, dressant une liste mentale des outils dont il aurait besoin. Tôt ou tard, il allait devoir dire à Caroline ce qu'il avait découvert. Le plus tôt serait probablement le mieux. Poussant un soupir, il se lança :

— Hier soir, quand j'ai trouvé Gem au bar, elle m'a dit qu'un type lui avait proposé de l'emmener parce que sa voiture refusait de démarrer.

— C'est ce qu'elle m'a dit aussi, mais je pensais que tu ne la croyais pas.

— Je ne la croyais pas, en effet. Mais en rentrant de la quincaillerie à l'instant, je me suis arrêté au restaurant où elle travaille. Sa coccinelle y est toujours.

Il acheva de vider son sac d'achats, le jeta et se redressa, concentrant toute son attention sur Caroline.

— Le câble de la batterie avait été déconnecté, dit-il.

Les mains de Caroline se crispèrent.

— On a saboté sa voiture ? Pourquoi !

— Peut-être qu'un type lui tournait autour... Un client qu'elle aurait servi au restaurant, par exemple. S'il était un peu bizarre, il pourrait aller jusqu'à déconnecter un câble et se présenter comme le garçon providentiel qui tombe à pic pour la tirer d'affaire.

Caroline eut une grimace de révulsion. Fatigué, il haussa les épaules et admit :

— Bon, le câble peut aussi s'être détaché à force de cahoter sur ces routes effroyables. Le type peut n'être qu'une coïncidence.

Sauf que Matt ne croyait pas aux coïncidences...

— Dans tous les cas, si elle est venue ici hier soir, quelqu'un d'autre tenait le volant. Elle a un complice.

— A moins que ce ne soit elle la victime. Elle était bouleversée, hier soir. Un type capable de trafiquer sa voiture n'hésiterait pas à exploiter la situation pour faire monter sa cote. Il peut parfaitement s'être chargé de peindre ça lui-même.

— C'est possible.

— Matt, il faut absolument la retrouver.

— Le shérif la cherche.

Il retint un nouveau soupir. A voir son visage, cela ne lui suffisait pas. Cela ne lui suffisait jamais quand il était question de gosses.

— D'ici là, conclut-il en agitant un verrou encore dans son emballage, pense à fermer tes portes.

Elle se redressa, quitta le plan de travail où elle s'appuyait.

— Je suppose que je dormirai mieux en sachant que la maison est bien bouclée, mais pour le reste... le fait que tu sois là...

Elle se mordit la lèvre, se tordit les mains, et réussit à dire :

— Ce n'est pas nécessaire.

— Je pense que si.

— Je n'ai pas besoin d'un garde du corps.

— Parfait. Considère-moi comme un entrepreneur. Tu m'as embauché pour retaper ta maison et c'est exactement ce que je vais faire. J'ai un contrat de trente jours.

— Et si je ne veux pas que tu restes ?

Elle releva le menton. Il connaissait cette expression, il en connaissait aussi la cause. Posant ses verrous, il écarta une chaise de la table et s'assit en cherchant ses mots.

— Caroline, pour hier soir... Je regrette ce que j'ai dit.

Il risqua un regard vers elle : son expression était indéchiffrable. Le visage sur lequel il lisait autrefois à livre ouvert était devenu celui d'une inconnue. Prenant son courage à deux mains, il reprit :

— Je t'ai accusée d'avoir cherché délibérément cette grossesse. Je sais que ce n'est pas vrai. Enfin, je ne pensais pas ce que je disais...

— Si.

Il réprima une grimace. En un sens, elle avait raison. S'il ne croyait pas qu'elle s'était retrouvée volontairement enceinte, il se sentait tout de même trahi. Par Caroline, par le bébé, par la vie elle-même !

— C'était un gros choc, dit-il en secouant ses pensées. Le fait d'apprendre l'existence de Hailey, de cette façon... Un choc, tu comprends ?

— Et maintenant que le choc est un peu estompé, tu veux t'installer ici pour qu'on soit une vraie famille ?

Elle se redressa. Machinalement, il se demanda si elle savait qu'elle serrait les poings.

— Qu'est-ce qui se passe vraiment, Matt ? exigea-t-elle.

Avec ce poids en ciment sur la poitrine, il n'arrivait pas à aspirer l'air nécessaire.

— J'ai dit que j'arrangerais la maison, j'essaie juste de tenir parole.

Ses yeux d'or l'examinaient, froidement incrédules.

— Comme tu voudras, dit-elle en se détournant. Il te reste vingt et un jours à tirer.

Elle sortait de la pièce quand une plainte aiguë jaillit du petit émetteur fixé à sa ceinture. Elle tourna un bouton pour baisser le volume et se retourna vers lui pour administrer le coup de grâce :

— Si tu penses pouvoir tenir le coup...

*
**

Poussant la porte de la salle de jeux, il appela Jeb… qui se blottit aussitôt derrière le tunnel de plastique qu'il escaladait.

— Jeb, viens ! répéta Matt. Je veux te montrer quelque chose.

— Non.

— Comment ?

— Non. Je viens pas avec toi.

Matt lutta contre l'agacement. Il avait une foule de choses à faire, et il était pressé de passer à autre chose. Pourtant, la terreur qu'il devinait sous l'insolence du garçon l'obligea à tempérer sa réaction.

— Pourquoi pas ?

La seule réponse de Jeb fut un hoquet. Matt s'avança vers les blocs de plastique creux, assez grands pour permettre le passage d'un enfant. Des hoquets aigus jaillirent à son approche, de plus en plus précipités.

Interdit, il s'arrêta, recula d'un pas, réfléchit un instant et releva son pantalon pour s'accroupir. De cette position, il voyait l'intérieur de la cachette de l'enfant.

— Tu n'as pas à avoir peur, Jeb.

— J'ai pas peur ! proclama le garçon d'une voix fêlée.

Matt s'appuya d'une main sur la moquette pour garder son équilibre.

— Non, bien sûr que non, dit-il d'un ton conciliant. Je ne voulais pas dire ça comme ça. C'est juste que… je ne vais pas te faire de mal.

Jeb cala son menton contre sa poitrine maigre. Toujours en canard, Matt s'avança un peu. L'enfant se crispa convulsivement et il s'arrêta, satisfait de se trouver un peu plus près.

— Je sais que tu n'as pas peur, mais je comprendrais que tu ne veuilles pas sortir, si tu pensais que quelqu'un allait te faire du mal, reprit-il avec patience.

— Tu fais du mal aux gens.

— D'habitude, je les aide.

— T'as fait pleurer Caroline !

Le menton du petit se releva, agressif, mais ses joues étaient humides et son visage tout plissé.

— Et puis, t'as un pistolet, accusa-t-il. Je t'ai entendu hier soir, ça a fait clic !

La fureur explosa dans la poitrine de Matt. Il s'en voulait d'avoir fait peur à un enfant, et il ne supportait pas l'idée qu'un petit de cinq ans en sût assez pour reconnaître le son d'une arme à feu quand on la referme. Le père de Jeb avait-il une arme ?

La colère qui lui venait à cette idée était un luxe qu'il ne pouvait se permettre. Pour l'instant, il devait se concentrer sur ce petit garçon terrifié et la nécessité de le faire sortir de son cube de plastique. A quatre pattes, il rampa plus près.

— Moi, j'ai une arme pour protéger les gens. Je suis un policier.

— Les flics protègent personne. On se protège tout seul.

— Qui a dit ça ?

— C'est maman.

Matt se demanda si Savannah savait que son fils avait entendu ce commentaire. Elle ne lui faisait pas l'effet d'une femme qui mettrait délibérément ce genre d'idée dans l'esprit d'un tout-petit. D'ailleurs, Savannah lui faisait-elle davantage confiance que Jeb ?

— La police ne vous a pas bien protégés, toi et ta mère, mais je t'assure qu'on fait de notre mieux. Nous essayons de protéger les gens. C'est pour ça que j'ai une arme, et c'est pour ça que je suis ici.

— Pour protéger Caroline ? demanda Jeb en reniflant.

— Oui.

— La protéger de celui qui est entré cette nuit ?

— Oui. Tu sais, il ne pourra plus entrer, parce que j'ai mis de nouvelles serrures sur toutes les portes. Des grosses, très solides, pour que tout le monde à l'intérieur soit en sécurité. C'est ça que je voulais te montrer. Tu veux bien venir voir comment ça marche ?

Toujours méfiant, le garçon parut néanmoins intéressé.

— Et ensuite, je pourrai voir ton pistolet ?

— Non, dit Matt, mais tu sais quoi ? Alf est sous la véranda. Une fois que je t'aurai expliqué comment ouvrir la nouvelle serrure, on pourra aller le caresser.

— Pour de vrai ?

En voyant le petit visage s'illuminer, Matt eut un sourire. Un sourire amer, mais un sourire tout de même.

— Pour de vrai, répondit-il.

Equilibrant avec soin un plateau portant trois grands verres de thé glacé, Caroline ouvrit la porte de la véranda et s'arrêta sur le seuil, interdite. Juché sur un escabeau, Matt raccordait des fils électriques entre les poutres, à l'endroit où on installerait le plafonnier ; Jeb se tenait à ses pieds, la tête levée comme s'il participait au travail. Au moment où elle entrait, Matt se pencha pour mettre un outil dans la main du garçon, qui le prit avec beaucoup d'assurance.

— Range ça et donne-moi les pinces aiguille, demanda Matt.

Accroupi près de l'escabeau, Jeb se mit à fouiller dans la caisse à outils.

— Elles ont une pointe longue et fine, expliqua Matt, et du caoutchouc sur les poignées.

Un instant plus tard, Jeb brandit sa trouvaille et Matt s'écria :

— C'est bien ça !

Le sourire du petit s'élargit encore. Tenant la pince avec précaution, il escalada les trois premières marches de l'escabeau, tendit l'outil à Matt et retourna à sa place, attendant avec impatience le prochain ordre venu d'en haut. La scène ressemblait à une gravure naïve de l'Amérique profonde.

Enchantée, Caroline alla les rejoindre et posa son plateau sur un établi. Il faisait beau, le terrible message avait été recouvert de peinture fraîche, et Hailey venait d'éclater de rire pour la première fois. La vie était belle.

Matt tendit le bras devant elle pour prendre un verre. Il sentait la sciure fraîche et le travail. Elle respira profondément pour savourer ce parfum d'homme tout en le regardant refermer la main de Jeb sur un verre, lever l'autre à ses propres lèvres. L'homme et le petit garçon burent longuement, puis s'essuyèrent les lèvres du même geste. Comment Jeb connaissait-il ce mouvement de Matt ?

— Jeb, dit-elle, va donc ramasser tes Power Rangers. Ta maman va bientôt arriver.

— Je veux pas...

— Jeb, interrompit Matt, je m'arrête pour aujourd'hui. On terminera demain.

La petite tête crépue tourna de Caroline vers Matt.

— Tu commenceras pas sans moi ?

106

— Je t'attends, c'est promis. Je ne peux pas commencer sans mon assistant.

Toujours réticent, le petit frotta le sol de la pointe de sa basket.

— Tu avais dit que je pourrais jouer avec Alf cet après-midi.

— Quand tu auras ramassé toutes tes affaires, on jouera jusqu'à l'arrivée de ta mère.

Jeb disparut dans la maison sans cesser de traîner les pieds.

— Merci, dit Caroline quand la porte se referma. De le laisser t'aider et de lui apprendre à fréquenter Alf sans danger.

Il haussa les épaules.

— Je n'allais pas le laisser trembler de peur chaque fois qu'il me voyait. Et il n'a le droit de toucher Alf que si je suis là.

— Je crois qu'il n'a jamais eu un homme qu'il ait envie d'imiter.

— Je dirais que sa mère lui a appris tout ce qu'il avait besoin de savoir.

— A part une chose : comment faire confiance à un homme.

— Oui, bon... Certaines choses prennent plus longtemps que d'autres.

— Savannah y travaillait depuis un certain temps.

Matt fixait le vide, apparemment perdu dans ses pensées. Caroline se percha sur l'établi.

— La Terre appelle Matt, dit-elle.

Ses yeux verts se dirigèrent vers elle.

— Désolé, je réfléchissais.

— A quelque chose de particulier ?

— L'ex de Savannah... Elle sait où il est ?

— Pourquoi ? répliqua-t-elle ironiquement. Tu as envie de lui donner quelques cours sur l'art d'être père ?

Sans relever, il but encore une gorgée de thé.

— Il y a une chance que ce soit lui, notre visiteur de minuit ?

Interloquée, elle fronça les sourcils.

— Je croyais que tu étais convaincu que c'était Gem ou son nouveau petit copain ?

— Je suis convaincu qu'il se passe quelque chose du côté de Gem. Elle n'avait pas les ressources nécessaires pour rester cachée aussi longtemps. Si elle est avec un gamin de son âge, je doute qu'il en ait beaucoup plus qu'elle. Il faut bien qu'ils mangent et qu'ils dorment sous un toit. A rester planqués dans le voisinage, ils s'ennuieraient vite. Alors qu'un type comme Justiss, s'il envisage de se venger, s'il est tombé sur Gem…

— On en revient à Gem, alors ? Pourquoi passer par elle ? Qu'est-ce qu'elle peut lui apporter ?

— Des informations. Sur Savannah et Jeb, et la façon dont ils passent leurs journées. Sur toi, sur moi, sur cette maison.

Frissonnant tout à coup, Caroline se frotta les bras. Elle savait de quelle violence cet homme était capable. A l'idée qu'il était peut-être entré dans sa maison, qu'il s'était trouvé si près de son bébé et de Jeb, elle se sentait glacée.

— Mais pourquoi viendrait-il ici ? Pourquoi pas tout droit chez Savannah ?

— C'est pour ça que je n'ai pas tout de suite pensé à lui, répondit Matt.

Elle suivit son regard vers la porte par laquelle Jeb venait de disparaître, et comprit où il voulait en venir.

— Parce que Jeb était ici ! s'exclama-t-elle.

Il tourna vers elle un visage qui était un masque de souffrance.

— Un homme ferait n'importe quoi pour récupérer son fils...

Elle sauta sur ses pieds.

— Il faut prévenir Savannah !

— Non, attends, protesta-t-il en se levant à son tour. Il ne faut pas la paniquer... Je pourrais me tromper du tout au tout.

— Tu pourrais aussi avoir raison.

— Elle sera là dans quelques minutes, non ?

Quand elle hocha la tête, il posa son verre et se tint juste devant elle.

— Tu veux que je lui parle ?

— Non, je le ferai. Il n'y a pas quelqu'un que tu puisses appeler à la rescousse ?

Il eut un geste d'impuissance.

— J'ai déjà essayé. Justiss est en liberté surveillée, mais son responsable est en vacances pendant deux semaines.

— Deux semaines, murmura-t-elle, effrayée. Mais en deux semaines, il pourrait...

Les grandes mains solides et tièdes de Matt se refermèrent sur ses épaules, et ses yeux verts se fixèrent sur les siens.

— Il ne va rien vous arriver, dit-il. Ni à Jeb, ni à qui que ce soit. Pas tant que je serai là.

Savannah fit tourner sa tête en un cercle complet et s'étira les épaules.

— La journée a été longue ? demanda Caroline.

— Oui... Heureusement que demain on sera vendredi.

Avec un sourire fatigué, elle émergea sous la véranda et dit à l'homme assis dans l'ombre :

— Merci pour le dîner, Matt.

— Tout le plaisir était pour moi.

— Mmm... Un homme qui prend plaisir à faire la cuisine. Un trésor !

Matt eut un petit rire. Sur la pelouse, Alf rapportait le bâton avec un enthousiasme intact, se précipitant sur Jeb comme s'il allait le renverser. A la dernière seconde, il s'arrêta net et laissa poliment pendre le bâton devant lui.

— Jeb, lança Savannah, va chercher tes affaires. On rentre.

— Oh, m'man !

— J'ai dit tout de suite, Jebediah !

— Oh, m'man ! se lamenta de nouveau le garçon.

Il se dirigea pourtant vers les marches, traînant les pieds et soulevant un nuage de poussière. Caroline sourit, heureuse de voir le « petit rebelle » dans son état normal.

— Savannah, reprit-elle, quand tu déposeras Jeb demain, pourquoi ne pas apporter quelques affaires ? Tu pourrais nous rejoindre ici en terminant ta journée et passer le week-end avec Matt et moi.

Elle fit un effort pour sourire et lança à Matt un regard sévère, au cas où il tarderait à l'appuyer. Savannah lui tapota la main d'un geste amical.

— C'est gentil, mais je ne veux pas m'imposer.

Matt joua le jeu, lançant d'un ton indolent :

— Vous ne dérangeriez personne...

Savannah refusa de changer d'avis. Quelques instants plus tard, elle était à l'intérieur, en train d'aider son fils à rassembler ses jouets. Matt se leva et s'éloigna. Caroline demanda à son amie de tendre l'oreille, au cas où Hailey

110

se manifesterait, et se précipita à sa suite sur le chemin de l'étang.

— Elle a peur, Matt.

— Je sais.

Cela lui sembla tout naturel, tandis qu'ils marchaient côte à côte, qu'il prît sa main dans la sienne.

— Alors, pourquoi est-ce qu'elle ne veut pas de notre aide ? demanda-t-elle. Elle serait en sécurité, ici, avec nous. *Avec toi*, ajouta-t-elle, le visage crispé.

— Je crois que, cette fois, elle veut s'en sortir toute seule.

Il l'entraîna jusqu'au vieux saule sur la berge, écarta les branches pendantes et la guida à l'intérieur, vers leur ancien refuge.

— Elle redoute que ses ennuis la suivent jusqu'ici, reprit-il.

— Les ennuis sont déjà ici.

Ils s'appuyèrent tous deux au tronc, et il la prit par les épaules.

— On a essayé, Caroline…

— Je sais, soupira-t-elle.

Autour d'eux, les cigales chantaient l'été tout proche, et les grenouilles leur répondaient. Les doigts solides de Matt passaient et repassaient sur son épaule, apaisants. Tout semblait si simple qu'elle laissa sa tête s'abandonner sur son bras.

— Ça fait longtemps que nous ne sommes pas venus ici, tous les deux…, dit-elle.

— En effet.

Il la regardait avec une expression très douce et presque tranquille. Il avait dû oublier son masque, du moins pour ce soir.

— C'est ici que j'ai eu mon premier baiser, dit-elle.

— Je sais. C'est moi qui te l'ai donné.

— Tu étais d'une courtoisie ! Tu n'as même pas ouvert la bouche.

Il se mit à rire.

— Toi, si.

— J'avais quinze ans.

— Bien trop jeune pour de vrais baisers !

— Je n'étais pas de cet avis.

— Moi, si.

— Je m'en fichais. J'étais amoureuse.

— Tu me trouvais craquant, voilà tout.

— Terriblement craquant.

Elle leva la tête vers lui pour lui sourire, puis enfouit son visage au creux de son cou.

— Tu m'as encore embrassée ici quand tu es revenu de l'armée.

— J'ai fait plus que t'embrasser.

— Et ensuite, nous avons eu Brad, dit-elle à mi-voix.

Elle retint son souffle, regrettant déjà cet instant de douceur. D'un instant à l'autre, le venin de l'amertume allait revenir les empoisonner. A sa grande surprise, Matt ne réagit pas, se contentant de caresser son épaule doucement, d'un geste léger comme une brise d'été.

L'espoir s'engouffra alors en elle. Elle posa une main à plat sur sa large poitrine, savourant avec une joie profonde le battement lent et régulier de son cœur.

— Tout semblait simple, à l'époque, dit-elle.

— Il n'y avait rien de bien compliqué entre toi, moi et ce vieil arbre.

— Ou dans le fait de m'embrasser, taquina-t-elle.

— C'est vieux, tout ça…

— Pas si vieux.

Il sentit son parfum l'envelopper dans un nuage de vanille et de miel, et les souvenirs s'engouffrèrent en lui. Au retour de l'armée, la première chose qu'il avait faite était de chercher à avoir des nouvelles de Caroline. Il voulait savoir qui elle avait épousé, combien d'enfants elle avait... Il l'avait trouvée seule dans cette vieille maison, toujours célibataire, luttant pour travailler à plein temps tout en préparant son diplôme de puéricultrice. Sa tante Ginger était morte, et elle n'avait pas d'autre famille. Très seule, trop fière pour l'avouer... Il s'était alors juré de toujours s'occuper d'elle.

Cette parole, il ne l'avait pas tenue, car il venait de comprendre qu'il était parti le premier, longtemps avant qu'elle ne le quitte. Il l'avait délaissée pour la routine du travail qui engourdissait son chagrin à vif, pour les longues nuits passées à ratisser les bas-fonds de Port Kingston, pour les moments d'anesthésie où, par miracle, il réussissait à aider réellement quelqu'un. Puisqu'il ne pouvait aider Brad, ni s'aider lui-même, il préférait se dévouer corps et âme pour des inconnus... Et pendant ce temps, Caroline s'effaçait lentement dans l'ombre.

C'était une bonne chose qu'elle fût partie ! Non pour lui, mais pour elle. La révélation éclata soudain en lui : il était heureux qu'elle se fût échappée avant de se perdre tout à fait. Dans un éclair de sagesse qui le réchauffa et le terrifia en même temps, il comprit qu'il était heureux de ne plus la voir seule. Elle avait Hailey, désormais.

— Tu n'es plus seule, dit-il.

— Toi non plus, tu n'as plus à être seul.

— Tu veux dire... tout recommencer de zéro ?

— Recommencer, oui. Sans chercher à effacer ce qui s'est passé, mais plutôt à construire sur ces bases. A en tirer la leçon. On a bien commencé une fois.

— On était jeunes.

— Et maintenant, on est vieux ?

Quand elle leva son visage vers le sien, il aurait presque pu se croire revenu quinze années en arrière. La nuit lissait les traces laissées par le temps et les soucis, ses yeux brillaient comme autrefois, et elle le regardait de la même façon. Si tendrement ! Et son propre corps réagissait comme jadis. Pendant un bref et merveilleux instant, il crut que lui aussi pouvait être délivré de sa solitude !

Puis la souffrance jaillit, brûlante, et il comprit qu'il devait garder ses distances. Il ne devait pas prendre ce qu'elle lui offrait. Il voulait être seul, il avait *besoin* de rester seul… et c'était le sort qu'il méritait.

Retirant son bras de derrière elle, il se redressa. Elle n'était plus appuyée contre lui.

— Assez vieux pour ne pas recommencer les mêmes erreurs, répondit-il enfin.

La phrase brutale effaça du visage de Caroline cette illusion de jeunesse : les marques reparurent près de sa bouche, près de ses yeux, gravées plus profondément que jamais sur sa peau lisse et bronzée. Les rides du rire, comme on les appelait parfois… Caroline n'avait guère eu de raisons de rire, ces dernières années, et la tristesse aussi laissait sa trace.

Elle avait eu tant de tristesse dans sa vie ! Tant de deuils : ses parents, la tante qui l'avait élevée, Brad… Ces quelques rides étaient son histoire, son héritage en quelque sorte. Le pire était que ces signes avant-coureurs de la vieillesse ne la rendaient pas moins irrésistible à ses yeux, bien au contraire ! Caroline et lui avaient grandi ensemble, et auraient dû être en train de vieillir ensemble…

Les blessures en lui se rouvrirent, et il saigna pour tout ce qu'il avait perdu. Jamais il n'aurait dû venir ici.

114

Il aurait été si simple d'envoyer le dossier du divorce par la poste…

Vieux ? Oh, si, il était vieux… Infiniment plus vieux que la dernière fois qu'ils s'étaient retrouvés sous cet arbre, tous les deux. Usé, fichu, sans jamais avoir découvert la sagesse.

7.

Matt enfonça le dernier clou dans la dernière moulure, recula de quelques pas et jeta un regard satisfait à la ronde. Le solarium était terminé. L'entreprise viendrait le lundi pour le toit, les poseurs de moquette le mercredi. Il se hâterait d'achever les raccords de peinture avant l'arrivée de ces derniers, et il ne manquerait plus alors que les touches finales : visser les interrupteurs et les barres de seuil, poser quelques éléments de décoration. Ainsi, il aurait respecté son délai, et Caroline n'aurait plus à redouter le résultat de l'inspection des services sociaux.

Elle avait déjà fait passer une annonce et, depuis, les coups de fil se succédaient toute la journée. Six enfants étaient déjà inscrits, et elle avait rencontré deux candidates pour un poste d'assistante à mi-temps. Bientôt, le grand local ensoleillé serait rempli de petits êtres énergiques, de cris, de jeux et de chamailleries.

Un bruit, derrière lui, l'arracha à l'image mentale de Caroline entourée d'enfants. Jeb, très droit et solennel, se tenait derrière la porte moustiquaire donnant dans la nouvelle cuisine. Alf était près de lui.

— T'as fini ? demanda le petit.

— Tout sauf le rangement, dit-il en déposant son marteau dans la caisse à outils. Tu me donnes un coup de main ?

— Euh...

— Si, viens ! insista-t-il en riant. Le rangement fait partie du chantier.

Sans enthousiasme, l'enfant poussa la porte ; Alf s'avança, la maintenant ouverte pendant que Jeb passait. Intéressé, Matt pencha la tête sur le côté.

— Attends une seconde, Jeb.

Le garçon s'immobilisa, docile, en demandant néanmoins :

— Pourquoi ?

— Je voudrais essayer quelque chose.

— Essayer quoi ?

Matt jeta un regard à la ronde. Il ne voyait rien de dangereux : des bâches roulées, une caisse à outils fermée, deux établis couverts de sciure avec une pince abandonnée et, surtout, les piles de planches et de poutres restantes.

— J'ai laissé ma pince sur l'établi à ta gauche, dit-il lentement. Je voudrais que tu ailles la chercher et que tu me l'apportes. Non, attends... Tu vas tenir le collier d'Alf, et c'est lui qui va te guider.

— Je peux le faire tout seul !

— Je sais bien, mais essaie à ma façon, d'accord ?

Alf n'était pas dressé pour assister un non-voyant, mais Jeb avait confiance en lui. Matt voulait savoir s'il avait suffisamment confiance pour se laisser guider. Car en ce cas, il pourrait accepter l'assistance d'un autre chien !

— Voilà : je voudrais que tu m'apportes la pince sans tendre les mains devant toi et sans tâter le terrain avec tes pieds. D'accord ? Tu te contentes de suivre Alf.

Méfiant, Jeb consentit pourtant à avancer d'un pas ou deux, les bras pendant à ses côtés.

Retenant son souffle, Matt regarda en silence le garçon et le chien s'avancer droit vers l'établi. Arrivé devant

117

l'objectif, Alf s'assit et Jeb, qui tenait son collier, s'arrêta aussi.

— La pince est juste devant toi. Tends la main et prends-la.

Jeb obéit, et ils entamèrent la traversée de la grande salle. Quand ils s'approchèrent de la caisse à outils, Matt faillit lancer un avertissement mais, au dernier moment, Alf s'appuya contre le genou du garçon et le fit contourner l'obstacle, évitant la collision. La même chose se reproduisit avec le gros rouleau de bâches, puis une pile de planches. Avec l'aide d'Alf, Jeb traversa le chantier entier sans rien heurter.

— J'ai réussi ! s'écria le garçon enchanté, en atteignant Matt. J'ai buté dans rien !

Emu, Matt lui frotta la tête.

— Bravo !

Jeb enroula les bras autour du cou du chien et le serra — pas trop fort cependant, car il commençait à posséder le sens des limites.

— Alors, avec Alf, je vais plus tomber !

Trop tard, Matt comprit son erreur. Affreusement ennuyé, il se pencha vers le petit, chercha un moyen de limiter les dégâts.

— Alf ne va pas pouvoir aller partout avec toi, Jeb. Mais il y a d'autres chiens, qui sont dressés spécialement pour...

— Mais je veux Alf ! se lamenta le petit.

Son petit visage rond se chiffonna : il allait de toute évidence pleurer. Se traitant mentalement de tous les noms, Matt prit sa voix la plus douce pour expliquer :

— Je sais bien... Mais, moi aussi, j'ai besoin de lui pour m'aider.

— Parce que c'est un chien policier ?

— Oui. Je ne pourrais plus attraper les méchants, sans lui.

Jeb releva sa tête enfouie dans le pelage d'Alf, renifla et rétorqua :

— T'as qu'à leur tirer dessus avec ton pistolet !

Le cœur de Matt s'affola. Il espérait que Jeb aurait oublié le pistolet !

— Je t'ai dit : le pistolet, c'est juste pour défendre les gens.

Jeb réfléchit un instant en se mordillant la lèvre inférieure puis, très bas, il confia :

— Maman, elle a un pistolet.

Matt se laissa tomber à genoux, attira le petit dans ses bras et passa sa grande main dans son petit dos tremblant.

— Des fois, elle l'a dans son sac, expliqua l'enfant, le souffle court. Des fois, elle le cache dans une boîte sous son lit.

Matt l'écarta un peu, le tenant par ses frêles épaules.

— Les armes sont très dangereuses, tu le sais ? Il faut en avoir très peur. Tu n'y toucheras jamais, n'est-ce pas ?

Jeb approuva vigoureusement de la tête et Matt soupira :

— Bien.

Surpris, il s'aperçut qu'il avait la gorge trop serrée pour ajouter autre chose. Lâchant l'enfant, il se remit lentement sur pied.

— Tu veux que je t'aide à ranger, maintenant ? demanda Jeb.

— Non, dit Matt avec effort. Non, merci. Si tu allais voir ce que fait Caroline ? Je m'occuperai du rangement.

Ensuite, il entamerait des recherches sur les chiens guides d'aveugle. Si Caroline l'autorisait à se servir de son ordinateur pour se connecter sur Internet, il trouverait sans doute des informations à ce sujet. Tout à l'heure, quand Savannah viendrait chercher Jeb, il serait prêt à lui parler. Lui parler de chiens, et aussi d'armes à feu.

Quand Carl Winters, le vieux pasteur du temple de Sweet Gum, lança le dernier « Amen », Matt jaillit du grand portail et retrouva la rue ensoleillée avec un soulagement infini. Il suffoquait, à l'intérieur, et pas seulement à cause de la chaleur.

Le rejoignant, Caroline le poussa du coude en s'efforçant de réprimer un sourire.

— On dirait un gosse à la sortie des classes, murmurat-elle.

— Désolé, répondit-il machinalement.

Il cherchait Savannah dans les groupes qui sortaient du temple, et finit par la trouver à l'ombre d'un petit bosquet, en train de discuter avec une dame de la chorale. Si loin que remontaient ses souvenirs, les fidèles se rassemblaient sous ces arbres pour bavarder après la cérémonie. Savannah était une nouvelle venue, mais elle perpétuait la coutume.

— Tu remuais encore plus que Jeb, fit observer Caroline.

Satisfait de voir que Savannah ne lui échapperait pas, il se tourna vers sa femme.

— Je ne savais pas où me mettre.

— Tu es très bien comme ça.

— Je ne parle pas de ma tenue.

Autrefois, il ne serait jamais venu au temple sans un complet et une cravate, mais il n'avait rien emporté d'autre que des jeans et des chemisettes. Il ne comptait pas rester si longtemps à Sweet Gum !

— Tu n'étais pas obligé de venir, si tu étais si mal à l'aise.

— Si, il fallait que je vienne.

— Tu cherches toujours à me protéger de Gem ? Ecoute, ça fait une semaine et personne n'a de nouvelles...

C'était une grosse déception pour elle, et il l'entendait dans sa voix. Ennuyé, il voulut la réconforter.

— Ça ne veut pas dire qu'elle ne reviendra pas.

— Et ça n'explique pas pourquoi tu es brusquement si mal dans un lieu fait pour aider les gens à trouver la paix.

— Je ne suis pas très chaud pour les sermons, ces derniers temps.

— Tu ne vas plus au temple ?

— Non.

Effectivement, cela faisait longtemps qu'il ne priait plus. A quoi bon ?

Sa jupe couleur de bleuet tourbillonnant modestement autour de ses genoux, le porte-bébé de Hailey accroché à son bras comme un panier, Caroline se remit en marche à travers la pelouse, vers les groupes de voisins en train d'échanger des nouvelles.

— Tu en veux à Dieu pour ce qui s'est passé ? demanda-t-elle sans le regarder.

— Peut-être bien.

— Dieu n'est pas responsable de la mort de Brad. Nous avons notre libre arbitre...

La colère explosa en lui avec une force qui le stupéfia.

— Libre arbitre ! Je veux bien que le libre arbitre explique les chauffeurs ivres qui quittent la route, les bandes de jeunes qui s'attaquent aux vieilles dames et les femmes battues qui restent avec leur mari jusqu'à ce que l'un des deux en crève, mais on ne peut pas l'appliquer à tout ! Ça n'explique pas la tornade qui a fait tomber une maison sur une voiture en tuant deux adolescents parfaitement sobres. Ça n'explique pas la maladie d'Alzheimer. Et par-dessus tout, ça n'explique pas un cancer qui part de la moelle osseuse d'un petit garçon et s'acharne à détruire systématiquement tout son métabolisme. Alors ne viens pas me parler du libre arbitre, ou des plans du Grand Architecte ! Parce que Dieu, moi, je n'y crois plus !

Il se retourna pour jeter un coup d'œil vers la grande porte où le pasteur serrait la main de ses ouailles en échangeant quelques mots avec eux.

— En tout cas, pas à la version du pasteur Winters.

— Matt...

Ses grands yeux pleins de détresse, elle posa la main sur son bras. Il se dégagea convulsivement et se remit en marche en grondant entre ses dents :

— Non. Ne fais pas ça.

Elle l'aurait sans doute suivi si les Peterson, la famille d'accueil de Gem, ne l'avaient pas appelée. A moins qu'il ne l'eût suffisamment effrayée pour la convaincre de le laisser tranquille ? En tout cas, il eut les coudées franches pour rejoindre Savannah. Perché sur l'une des tables de pique-nique groupées sous les arbres, Jeb dessinait machinalement du bout du doigt sur le vieux bois décoloré en attendant sa mère.

— Je peux vous parler ? demanda-t-il en entraînant celle-ci à l'écart des groupes.

— Quelque chose ne va pas ? s'enquit-elle en pâlissant brutalement. Vous avez des nouvelles de Thomas ?

— Non. Vous avez une arme à feu ?

Le calme revint sur son fin visage d'ébène.

— Oui, répondit-elle.

— Avec un gosse à la maison ? Vous avez perdu la tête ?

Sa voix était trop tendue, il s'en rendait bien compte. Savannah jeta un coup d'œil à Jeb pour s'assurer qu'il ne les entendait pas, et consentit à s'expliquer :

— Après ce qu'a fait Thomas, je serais folle de ne pas être armée.

Il sentit la colère le quitter comme un ballon se dégonfle.

— Je comprends que vous ressentiez le besoin de vous protéger, mais une arme à feu peut vous attirer des ennuis. Quant à Jeb, c'est très dangereux pour lui.

— J'ai un permis spécial qui m'autorise à porter une arme sur moi sur tout le territoire du Texas. Je la garde dans mon sac, sous mon contrôle direct, ou cachée à la maison. Jeb n'est même pas au courant de son existence.

— C'est ce que vous croyez, dit Matt en croisant les bras sur sa poitrine. Et il ne sait pas non plus que la cachette est dans une boîte sous votre lit.

Il vit ses yeux s'élargir sous le choc.

— Il n'y a pas de risque, répliqua-t-elle néanmoins.

— Mais si ! Vous savez combien de gosses sont tués, chaque année, par des armes à feu dont ils n'étaient pas censés connaître l'existence ?

— Non, mais je suis sûre que vous allez me le dire.

— Oui, je vais vous le dire ! s'écria-t-il.

En fait, il ne connaissait pas les chiffres : il savait seulement qu'ils étaient trop élevés.

— Je ne veux pas qu'il arrive quoi que ce soit à Jeb, reprit-il.

Les yeux de Savannah lancèrent un éclair.

— Préoccupez-vous un peu moins de lui, et il vous restera peut-être un peu d'attention à accorder à votre propre gosse !

Il recula comme si elle l'avait giflé. Atterrée, elle tendit la main, la posa sur son bras, en un geste presque identique à celui de Caroline un peu plus tôt. Ses doigts tremblaient.

— Je suis désolée…, murmura-t-elle. Désolée. Je n'avais pas le droit de dire ça.

— Ce n'est pas tout à fait faux, articula-t-il quand il put reprendre son souffle.

— Vous avez été merveilleux avec Jeb, et je vous suis reconnaissante.

— Je me suis… attaché à lui.

Beaucoup, même, s'il voulait être franc. Lui qui croyait s'être forgé une carapace impénétrable, il n'avait pas résisté à ce petit « rebelle ». Plus surprenant encore, il se sentait plutôt heureux de n'avoir pas résisté.

Savannah lui serra amicalement le bras avant de le lâcher.

— Vous aussi, il vous apprécie.

— Je me fais du souci pour lui.

— Je le vois bien, mais il ne faut pas, je vous assure. Le pistolet est dans une boîte cadenassée. Même si Jeb parvenait à découvrir la combinaison — et je ne vois pas comment ce serait possible –, il ne pourrait pas lire les chiffres pour l'ouvrir. Je… je ne voulais pas qu'il sache que j'avais acheté une arme. Je ne voulais pas qu'il ait peur.

Matt soupira. Au moins, elle n'avait pas fait les choses à la légère, et s'était donné du mal pour trouver une cachette réellement sûre.

— Est-ce que vous savez seulement vous en servir ?

— J'ai pris des cours. Et je me suis exercée.

Elle releva le menton d'un air de défi, et les coins de sa bouche se retroussèrent légèrement.

— En fait, je crois même que je suis assez douée.

— J'espère seulement que vous n'aurez jamais à le prouver, dit-il avec un nouveau soupir.

— Amen, Matt, répondit-elle.

Il fourra les mains dans ses poches, contempla un instant le bout de ses chaussures, puis releva la tête pour croiser son regard.

— Très bien, alors. Maintenant, dites-moi ce que vous savez des labradors.

Ils patientaient dans un embouteillage version Sweet Gum : deux voitures arrêtées à un stop. Après toutes sortes de lenteurs administratives, on venait enfin d'accorder à Caroline une visite aux jumelles, et ils se rendaient aux locaux des services sociaux du comté.

— Je te réserve une surprise, dit Matt.

Elle haussa les sourcils avec curiosité, amusée par tant de mystères. Encouragé, il expliqua :

— Une surprise pour Jeb. Enfin, j'espère… Je ne veux pas en parler avant de savoir si ça va fonctionner.

— Très bien, alors garde ça pour toi.

Ils se remirent en route et elle contempla le paysage par la vitre. Elle se sentait tout de même un peu vexée. Son ex-mari et sa meilleure amie préparaient des surprises ensemble sans lui en parler ? Au fond, elle devrait être contente que Matt et Savannah s'entendent si bien, et plus encore que Matt s'intéresse à Jeb.

Matt avait tant évolué, au cours de ces quelques semaines ! Au lieu de se crisper comme autrefois en présence de Jeb, il était absolument charmant avec le petit garçon.

Dire que, à une époque pas si lointaine, la seule vue d'un enfant lui était insoutenable... Il n'avait même pas protesté quand elle lui avait demandé de l'accompagner aujourd'hui pour cette visite à Max et Rosie, placées dans une crèche de l'Etat depuis l'abandon de Gem.

L'abandon apparent, corrigea-t-elle mentalement. On ne savait pas encore tout, et il n'était pas question de la condamner sans connaître sa version des faits. Si jamais elle reparaissait pour la donner...

Mais Caroline ne penserait pas à tout cela aujourd'hui, et garderait ses soucis pour un autre jour. Cet après-midi, il faisait beau, et elle allait voir ses jumelles préférées. Et par la même occasion, le moment semblait bien choisi pour tenter une petite expérience.

Matt se gara devant le bâtiment de brique très ordinaire qui abritait les enfants sans foyer de la région. Ils descendirent, et Caroline ouvrit la portière à l'arrière pour détacher le siège de Hailey. Un vent vif faisait claquer le drapeau du Texas au-dessus de leurs têtes. La porte de verre s'ouvrit et une femme robuste et énergique, l'assistante sociale des jumelles, apparut. Deux petites silhouettes sortirent derrière elle, deux voix aiguës se mirent à piailler, et quatre petits pieds trottinèrent à sa rencontre. Emue, Caroline se mordit la lèvre. Les jumelles n'étaient qu'à quelques pas quand elle se tourna vers Matt, lui tendit Hailey dans son porte-bébé et lui dit :

— Je voudrais passer un moment seule avec les jumelles. Si tu te promenais un peu avec la petite ?

Il comprit qu'elle avait parfaitement choisi son moment. Il venait de se faire avoir ! Il ne pouvait plus protester : les jumelles s'étaient déjà jetées sur elle, hurlant, riant, la couvrant de baisers sonores. L'une des deux, Rosie peut-être, émit une longue phrase incompréhensible qui ressemblait à une incantation. Max, si c'était bien elle, répondit d'un mot bref mais tout aussi bizarre, puis les deux hochèrent la tête, s'emparèrent des mains de Caroline, et l'entraînèrent vers le terrain de jeux.

Résigné à son sort, Matt les suivit des yeux jusqu'à la grille, puis chercha du regard un endroit tranquille pour attendre la fin de cette réunion de famille. Au fond, cela ne l'ennuyait pas de surveiller Hailey pendant quelques minutes, mais... Oh, il ne savait plus lui-même ce qu'il pensait...

Il choisit un coin d'herbe ombragé par un aulne. Autant se mettre à l'aise ! A voir le visage rayonnant de Caroline quand les fillettes étaient accourues vers elle, il en aurait pour un moment. *Seul avec Hailey...*

Posant le porte-bébé à l'ombre, il s'installa dans l'herbe à côté de la petite. Relevé sur un coude, il cueillit un brin d'herbe, glissa la tige entre ses lèvres et se mit à étudier l'écorce de l'arbre, puis à suivre la progression d'un vilain insecte à huit pattes dont il venait sans doute de gâcher la journée en envahissant son territoire.

Prenant son courage à deux mains, il cracha son herbe mâchonnée et plongea enfin son regard dans les profondeurs du siège de bébé. Et il se passa une chose extraordinaire : sa fille lui rendit son regard. Elle scruta son visage, avec la même expression d'aversion curieuse avec laquelle il examinait l'insecte quelques instants auparavant.

— Oui, je sais, dit-il d'une voix curieusement enrouée. Plutôt moche, hein ?

Elle brandit le poing, sans doute pour marquer son accord.

— Sois polie ! protesta-t-il. Je ne vaux sans doute pas grand-chose, mais je suis ton papa.

Elle sourit, puis pouffa. Une petite bulle creva sur ses dents de devant toutes neuves.

— Ce n'était pas drôle !

Elle eut un petit rire absolument adorable.

— Maintenant, je ne plaisante plus... Cesse de te moquer de ton vieux !

Il sentait un sourire étirer son visage. Ses joues étaient presque douloureuses et ses yeux s'embuaient. Puis un objet plus intéressant capta l'attention de la petite. Son regard dérapa sur la gauche pour suivre le vol d'un papillon, un de ces petits papillons jaunes que l'on voit partout en été. Gazouillant, elle tendit les deux mains. Le papillon s'esquiva, décrivit un circuit compliqué devant elle, et s'approcha brusquement. Elle eut un mouvement de recul, la bouche en O, les yeux ronds.

Muet, émerveillé, Matt regardait leur danse. Les joues de Hailey se gonflèrent, et elle fit une nouvelle bulle tandis que son partenaire exécutait une pirouette époustouflante. Ses petits pieds roses battirent l'air tandis que la créature ailée fondait sur elle comme un pilote de bombardier. Puis elle s'immobilisa, grave, les yeux écarquillés : le papillon venait de se poser sur la poignée du porte-bébé.

— Ohahhh..., murmura-t-elle.

— Oui. Ohhahh....

Le papillon s'enfuit et la lèvre inférieure de la petite ressortit de façon alarmante. Vite, Matt retira sa couverture légère pour lui donner de l'air et lui permettre de mieux voir son environnement. Elle tendit la main et saisit son index.

Paralysé, il plongea son regard dans les yeux verts de sa fille, des yeux qui semblaient se poser sur toute chose avec une conscience aiguë. Il regarda ses joues translucides, marbrées de minuscules veines violettes, les épis de ses cheveux blond cendré, et une bouffée d'émotion lui inonda le cœur. Tout lui revint : les bons moments, les moments pénibles, la douceur, la souffrance insupportable. Il sut, en cet instant, tandis que la main de Hailey demeurait agrippée à la sienne avec une force surprenante, que ces petits doigts dodus avaient assez de force pour lui arracher le cœur.

— J'ai rempli un dossier d'adoption pour les jumelles, lança Caroline une fois dans la voiture.

Incrédule, il secoua la tête.

— Mais comment est-ce que tu comptes gagner ta vie, si aucun de tes pensionnaires ne te paie ?

Caroline sourit, bien décidée à ne pas se laisser décourager par son scepticisme. Quelle importance si ni Hailey, ni Jeb, ni les jumelles ne faisaient entrer d'argent dans les caisses ? Elle se moquait de l'argent, surtout dans l'euphorie de ce merveilleux après-midi. Non seulement elle avait trouvé Maxine et Rosie épanouies, en pleine forme, mais Matt avait passé l'épreuve. Haut la main !

Elle sourit en revoyant l'image qu'il offrait, ses longues jambes étendues dans l'herbe, penché sur le porte-bébé. Hailey et lui se souriaient, les yeux dans les yeux. Ce tableau, elle le porterait dans son cœur toute sa vie. En fin de compte, Hailey allait peut-être grandir avec un papa qui l'aimait ! Même s'il n'aimait pas sa maman...

— Caroline ?

Elle sursauta, ramenée brutalement au moment présent. De quoi parlaient-ils ? Ah, oui... D'argent.

— J'aurai bien assez d'enfants qui paient. J'ai déjà six inscriptions...

— Six ! dit-il en secouant la tête. Pour l'amour du ciel, Caroline, comment vas-tu prendre soin de tout ce monde, en plus de Hailey, Jeb et des jumelles ?

— J'embaucherai de la main-d'œuvre.

— Ça coûtera plus que tu ne gagneras.

— Je ne fais pas ça pour l'argent.

— Première nouvelle !

La bonne humeur de Caroline se volatilisa.

— Eh bien, s'exclama-t-elle, dis-moi pourquoi je travaille si dur pour lancer cette crèche, si ce n'est pas pour l'argent !

Il lâcha un soupir explosif.

— Allez, insista-t-elle. Ne rentre pas dans ta coquille, pour une fois ! Pourquoi est-ce que tu penses que je fais tout ça ?

— J'aimerais entendre pourquoi, *toi*, tu penses le faire.

Cette fois, c'était trop. Elle se redressa si violemment que sa ceinture de sécurité lui meurtrit les côtes. Se retenant d'une main au tableau de bord, elle explosa :

— Ne me fais pas ce coup-là, Matt.

Il lui jeta un bref regard, les sourcils froncés, puis se retourna vers la route.

— Qu'est-ce que je ne dois pas te faire ?

— Ne me parle pas comme à un de tes preneurs d'otages. Un, déterminer les objectifs du sujet. Deux, déterminer les besoins l'ayant amené à se fixer ces objectifs. Trois, valider ces besoins. Quatre, suggérer une solution alternative. J'ai lu ton maudit manuel de formation, j'ai joué le méchant dans les séances d'entraînement de ta brigade. Je connais la routine.

Elle se rencogna dans son siège.

— Je ne veux pas être un exercice pour toi. Je sais exactement pourquoi je monte une crèche, mais je veux entendre les raisons que tu me prêtes, *toi*.

Matt jeta un coup d'œil dans le rétroviseur, fronça les sourcils et se rabattit sur la voie de droite. Il resta silencieux si longtemps qu'elle crut que la discussion était terminée, et qu'elle n'obtiendrait pas de réponse. Pourtant, quand il se détourna de nouveau de la route pour se concentrer sur elle, quelque chose dans son regard opaque la fit frissonner.

— Combien de gosses est-ce qu'il te faudra ? demanda-t-il à mi-voix. Combien d'enfants autour de toi avant que tu oublies celui que tu as perdu ?

Cette fois, le frisson était glacial. Elle fit un effort pour retenir le rire dément qui montait en elle.

— Tu te trompes, Matt, sur toute la ligne ! J'aime avoir des gosses autour de moi. Ils m'aident à me souvenir de Brad, pas à l'oublier. Chaque fois que je regarde l'un d'eux, je me souviens, et c'est bon.

Elle aurait dû s'en tenir là, mais son accusation lui semblait trop odieuse. Comme si elle se servait de ces petits... Elle eut besoin de l'accuser à son tour.

— C'est toi qui fais tout pour oublier !

Il ouvrit la bouche, sans doute pour protester, mais quelque chose dans le rétroviseur attira son attention. Il se rabattit encore, sur l'accotement cette fois, et cria :

— Tiens-toi !

Un moteur rugit à leurs oreilles, et un pick-up bleu clair bondit à leur hauteur. Bien trop proche ! Caroline ne voyait pas le chauffeur, juste les avant-bras d'un homme noir, et ses mains sur le volant qui lançaient le véhicule contre eux.

Il y eut un hurlement de métal. Les deux voitures protestaient, les portières frottaient, leur aile arrière arrachait des étincelles à la barrière bordant la route. Matt voulut résister, pousser à son tour, mais le pick-up était plus gros, plus lourd que sa voiture. Il les emboutit de nouveau, les poussant plus violemment contre la barrière de protection.

Pour l'amour du ciel, il essayait de les forcer à quitter la route !

8.

Les hurlements et grincements du métal torturé ne parvenaient pas à couvrir les cris terrifiés de Hailey, tandis que les deux véhicules luttaient pour occuper la même place. La gorge serrée, Caroline défit sa ceinture et plongea entre les sièges pour rejoindre sa fille. Matt lui empoigna son chemisier à pleine main, la repoussa dans son siège.

— J'ai dit : tiens-toi ! gronda-t-il.

Avec un dernier regard à son bébé affolé, Caroline se laissa retomber à sa place, boucla maladroitement sa ceinture, s'accrochant de toutes ses forces à la poignée de sa portière.

— Qu'est-ce que tu vas faire ?

— Essayer de nous débarrasser de ce dingue.

Elle jeta encore un coup d'œil à l'arrière. Le besoin physique d'être avec son bébé la rendait folle.

— Matt, je t'en prie, fais attention !

Il suivit son regard et pâlit brusquement. Ils arrivaient à l'aqueduc. L'homme du pick-up profita de cet instant de distraction pour les emboutir de nouveau. Cette fois, les roues arrière de la voiture brisèrent la barrière de sécurité, roulant pendant quelques secondes tout au bord de la pente vertigineuse qui plongeait vers le cours d'eau. Luttant contre le volant, Matt les ramena de force sur la route.

— Elle est bien attachée ? demanda-t-il.

Caroline se retourna à demi, s'assurant que les boucles du harnais étaient bien en place.

— Oui.

— Il ne lui arrivera rien, promit-il. Accroche-toi.

Elle eut l'impression qu'il cherchait surtout à se rassurer lui-même. Instinctivement, elle tendit une main en avant pour se protéger. Matt enfonça le frein de tout son poids et elle fut précipitée en avant. Sa ceinture se bloqua, elle se sentit ballottée comme ces pantins dont on se sert dans les simulations d'accidents. Le pick-up bleu les dépassa en flèche, et son pare-chocs arrière se prit un instant dans leur pare-chocs avant, déviant leur trajectoire. La suite fut comme ces attractions de foire où les nacelles tournent follement sur elles-mêmes. Le cri de Hailey grimpa dans les aigus, se transforma en sifflet d'usine… L'estomac de Caroline se retourna, leur aile avant rebondit sur la barrière de sécurité, puis l'aile arrière… Caroline entendit Matt jurer, puis elle ferma les yeux, le souffle coupé, répétant une supplication muette…

Ce fut seulement quand la voiture s'immobilisa enfin, la barrière de sécurité imbriquée dans la portière du chauffeur, qu'elle s'aperçut qu'elle priait. *Je t'en prie, mon Dieu, protège Hailey ! Que mon bébé n'ait pas de mal !*

Matt se dressa sur son siège comme l'ange de la vengeance, mais il ne se tourna pas vers elle. Escaladant les sièges, faisant maladroitement passer son grand corps dans un espace trop petit pour lui, il s'abattit sur le siège arrière, et posa sa grande main sur la petite tête de Hailey. La panique de sa voix déchira le cœur de Caroline.

— Chut, Hailey… Tu vas bien. Tout va bien maintenant, c'est fini, murmura-t-il.

Les cris de la petite s'apaisèrent, et peu à peu devinrent des gémissements.

— Elle… va bien ? demanda Caroline.

— Je crois. Les courroies ont bien tenu, mais je n'ose pas la déplacer.

Le soulagement l'envahit avec une telle violence qu'elle crut qu'elle allait vomir. Tremblante, elle se glissa à son tour à l'arrière, et les bras de Matt s'ouvrirent pour l'accueillir.

Caroline avait étendu une couverture sous le saule et lisait, adossée au vieux tronc. Hailey, adorable dans une petite robe rose avec un bonnet assorti, s'amusait avec un hochet aux pieds de sa mère. Dans un endroit bien dégagé, à une vingtaine de mètres, Jeb faisait rouler une balle de caoutchouc dans l'herbe. La balle, faite spécialement pour les enfants malvoyants, lançait à intervalles réguliers un pépiement électronique qui permettait de la suivre. Alf galopa vers le garçon. Enchanté, Jeb oublia sa balle et se mit à suivre le chien.

Une branche se brisa sous les pieds de Matt et Caroline sursauta, tournant aussitôt la tête vers lui. Dès qu'elle le vit, son regard se fit lointain. C'est tout juste si elle lui adressait la parole depuis l'accident. Si on pouvait appeler cela un accident… Car, en fait, quelqu'un avait chercher à les tuer !

Cela expliquait-il cette distance qu'elle mettait entre eux ? Elle avait peur, se dit-il, et pas seulement à cause du danger couru ensemble. Quelque chose avait changé entre eux pendant qu'ils cherchaient le réconfort dans les bras l'un de l'autre, avant l'arrivée de la police. Le fait d'avoir frôlé le drame de si près avait arraché leurs carapaces, les laissant exposés, à nu. Qu'ils le veuillent ou non, ils étaient reliés par quinze années d'amour et de mariage, et par deux enfants. Ils se connaissaient intimement et réagissaient l'un à l'autre à tous les niveaux, physique, émotionnel et même spirituel.

Tandis qu'ils restaient blottis dans les bras l'un de l'autre, Matt avait fini par mesurer la futilité de sa tentative pour séparer sa vie de celle de Caroline. Ils étaient comme deux fils tissés : si l'on cherchait à les démêler, l'étoffe entière se déferait.

Il était presque sûr que Caroline avait compris la même chose — elle le savait sans doute depuis toujours —, mais pour l'heure, ni l'un ni l'autre ne savait le moins du monde comment réagir. Car en plus de l'amour, ils partageaient beaucoup de souffrance, beaucoup de souvenirs douloureux.

Eh bien, une si belle journée n'était pas faite pour les souvenirs douloureux ! C'était un jour pour se tourner vers l'avenir, même à court terme — et d'ailleurs, même le court terme représentait un sacré engagement pour lui. Cela faisait si longtemps qu'il vivait au jour le jour ! Aujourd'hui, il avait une proposition à faire à Caroline et il fallait absolument qu'elle lui répondît oui.

Il lui présenta son offrande, des sandwichs à la confiture et au beurre de cacahuètes, deux ou trois bananes, une bouteille du yaourt liquide à la vanille qu'elle aimait et deux bouteilles d'eau.

— Déjeuner, dit-il.

Elle regarda sa montre.

— Il est déjà si tard ?

Interprétant cela comme une invitation — du moment qu'elle ne le repoussait pas explicitement ! —, il s'assit sur la couverture et posa son plateau entre eux. Laissant son livre, elle repoussa derrière ses oreilles les mèches brunes échappées de sa queue-de-cheval.

— Les marteaux sur le toit faisaient peur à Hailey, expliqua-t-elle. Elle s'énervait.

— Oui, je l'ai entendue pleurer.

Et le son avait fait remonter une foule de souvenirs : des doux et des amers…

— On ne peut pas lui en vouloir. A l'étage, on a l'impression qu'ils vous cognent directement sur le crâne.

Caroline appela Jeb qui fondit sur eux, saisit un sandwich et retourna vers Alf. Le sandwich pendait bien trop près de la truffe frémissante du chien.

— Attention, mon grand, lança Matt. Alf adore le beurre de cacahuètes.

— Jeb, viens t'asseoir ici avec nous, renchérit Caroline.

— Oh…, gémit le petit.

— Laisse-le, Caroline, glissa Matt. Si Alf lui pique son sandwich, j'irai lui en faire un autre.

L'air peu convaincue, elle céda pourtant. Pendant quelques minutes, ils mangèrent dans un silence amical. Il appréciait le silence, car il s'en servait souvent dans ses négociations. Tôt ou tard, le preneur d'otage se sentait obligé de le rompre, ce qui l'amenait à s'ouvrir un peu plus. Tôt ou tard, il amenait la conversation sur le sujet qui lui tenait vraiment à cœur.

Mentalement, il se maudit. Caroline avait raison : il devait cesser de mettre tout le monde dans la même catégorie que les cas limites avec lesquels il devait traiter dans son cadre professionnel. Il devait aller droit au but, dire ce qu'il avait à dire comme un homme normal, au lieu de chercher à orienter la conversation. Pourtant, de l'endroit où il se tenait, le plongeoir était très haut et la surface de l'eau très lointaine. Le mieux serait peut-être de commencer par un sujet moins chargé.

— L'assistant du shérif est passé tout à l'heure, dit-il.

Caroline faillit s'étrangler avec sa bouchée de sandwich.

— Gem ? s'exclama-t-elle.

— Non.

Son regard tomba sur la couverture, et elle posa son sandwich sans le terminer. Inquiet de voir qu'elle lui échappait, il expliqua :

— Ils ont localisé Tom Justiss. Il est exactement là où il doit être, au Bayou Lejeune, en Louisiane. Il travaille là-bas dans une usine de tapis. Il a un alibi pour la nuit de l'intrus et ne possède pas de pick-up bleu.

— Alors, ce n'était pas lui ?

— Apparemment pas.

— Ce n'était pas Gem non plus. En fait, nous ne savons pas qui c'était.

— J'ai essayé de relever le numéro de la plaque, marmonna-t-il, honteux.

— Tu étais occupé, coupa-t-elle fermement en relevant les yeux vers lui. Occupé à nous sauver la vie.

Intellectuellement, il était obligé d'en convenir. Personne n'aurait pu lire une plaque minéralogique tout en tentant de contrôler un véhicule transformé en toupie. Pourtant, au fond, il restait convaincu qu'il aurait dû trouver un moyen.

— Tu sais, il faudrait que tu surmontes ce complexe de Superman, dit-elle.

Elle parlait sévèrement mais il vit de l'humour dans ses yeux. Très sérieusement, il répondit :

— Je vais faire de mon mieux. Je vais me renseigner pour savoir s'il y a des lunettes qui corrigeraient ma vision aux rayons X.

Elle se mit à rire comme une enfant, essuya une miette de confiture au coin de sa bouche... puis la joie s'effaça lentement de son visage.

— Au moins, dit-elle, Savannah ne risque rien.

— J'ai prévenu le shérif, ils vont arrêter les patrouilles.

Dès que la phrase lui échappa, il réprima une grimace. Elle allait sans doute lui reprocher de ne lui avoir rien dit. Bien entendu, elle releva tout de suite.

— Quelles patrouilles ?

Il haussa les épaules.

— Je leur avais demandé de passer par chez elle deux ou trois fois dans la nuit. Juste pour s'assurer que tout était calme.

— C'était une bonne idée.

Absente, elle tripotait son sandwich sans y mordre.

— Si c'était une bonne idée, pourquoi cette tête d'enterrement ? demanda-t-il, heureux de s'en tirer à si bon compte.

— Je suis contente que Savannah et Jeb soient en sécurité, mais je ne sais pas où nous en sommes, nous.

Qu'entendait-elle par « nous » ? Son regard vers Hailey semblait l'exclure, lui, du cercle magique.

— Gem a toujours un mobile, dit-il. Nous ne savons pas si son petit copain est blanc ou noir. Je dirais que cette histoire ramène les soupçons vers elle.

— Parce que tu es cynique.

— Parce que je suis un flic.

— Tu ne cesses jamais d'être un flic, Matt ?

— Pas si je peux faire autrement.

La voyant serrer les lèvres, il voulut plaisanter :

— Pourquoi, tu as quelque chose contre les flics, maintenant ?

— Et quand tu ne pourras plus être un flic, demanda-t-elle sans relever sa question, que seras-tu ?

— Aucune idée ! Je n'ai pas de boule de cristal.

Pressé d'échapper à son regard scrutateur, il se laissa rouler sur le dos et noua les doigts derrière sa nuque. Au-delà du rideau du saule, le ciel était limpide et bleu, si vaste qu'on se sentait tout petit en le contemplant.

— Pas besoin de boule de cristal pour voir où tu te diriges. Tu seras seul, Matt. Tu seras vieux, fatigué, et tout seul parce que tu as peur de te remettre à aimer.

Il ferma les yeux. Son sandwich ne passait pas très bien.

— C'est votre opinion professionnelle ou vous avez consulté le Dr Justiss ? demanda-t-il.

Au lieu de se fâcher comme il l'espérait, elle se pencha vers lui. Il sentit son ombre le recouvrir, et entendit son souffle tout proche.

— Ça pourrait se terminer autrement, chuchota-t-elle.

Il ne répondit pas. Quelle réponse aurait-il pu faire ? Elle attendit longtemps. Une éternité passa, puis une autre. Le millier de choses qu'il aurait aimé dire jaillit du plus profond de lui, et se bloqua en travers de sa gorge. Elle aussi savait se servir du silence !

Ce n'était pas le cas de Hailey. La petite se mit à pleurnicher, puis à réclamer à pleine voix. Caroline s'écarta et la prit dans ses bras. Maintenant, elle allait rassembler ses affaires, remonter vers la maison. Vite, qu'elle se dépêche, qu'elle s'en aille avant que son cœur ne s'ouvre en deux, que tous ses secrets se répandent au grand jour...

Mais elle ne partit pas. Il sentit qu'elle reprenait sa place contre l'arbre, et ne sut pas ce qu'elle faisait avant d'entendre... son long soupir, puis d'autres sons dont il se souvenait, lors des petits matins engourdis de sommeil. De minuscules bruits de succion, un petit gazouillis. Elle donnait le sein à Hailey.

Il ouvrit les yeux, incapable de résister à l'envie de voir. De tous leurs moments intimes à trois, Caroline, Brad et lui, ceux dont il se souvenait le mieux étaient les instants où elle allaitait leur fils. Il y avait quelque chose de si fondamental dans le spectacle d'un bébé au sein de sa mère que toutes les tensions, tous les soucis s'effaçaient. Des instants magiques ! L'univers entier d'un homme se réduisant à la contemplation de son bébé et son instinct de vie...

Il se redressa brusquement, appuyé sur une main. Le besoin d'abriter, de protéger cette petite vie fragile faisait battre le sang à ses tempes. Les cils de Hailey frémissaient de plaisir. Hypnotisé, il regarda la vie couler de la mère à l'enfant. Caroline le regardait les contempler. Tout à coup, elle demanda :

— Pourquoi es-tu vraiment venu ici, Matt ?

— Je voulais te poser une question.

— Je veux dire : pourquoi es-tu venu à Sweet Gum ?

Il tendit la main, la posa sur la jambe de sa fille. Sa peau était lisse comme de la soie, souple et ferme à la fois.

— Tu sais pourquoi.

— Pour obtenir le divorce ? Tu aurais pu le faire sans te déplacer.

— Peut-être.

— Pourquoi es-tu venu, alors ?

Sans qu'il l'ait décidé, les mots s'arrachèrent de sa poitrine.

— Je voulais m'assurer que tu allais bien.

— C'était la seule raison ?

Elle connaissait la réponse, mais cette fois il allait devoir le dire.

— Je voulais… récupérer ma vie.

— Mais pas ta femme ? demanda-t-elle d'une voix neutre.

Il arracha son regard de Hailey et leva les yeux vers Caroline, la douce Caroline. C'était le titre d'une chanson qu'il chantait sans cesse les premiers temps de leur mariage. Cela rendait fous ses copains, à la brigade.

— Au fond, c'est peut-être la même chose, dit-il.

Il vit ses yeux s'écarquiller. Comme un témoin impuissant assistant à un cataclysme, il regarda l'une de ses mains aller se poser dans le dos de Caroline. Pour l'étreindre ? Pour l'empêcher de lui échapper ? Il ne le savait pas lui-même. Son autre main se plaça en coupe sous le coude qui soutenait le poids de Hailey… et sa bouche se posa sur celle de Caroline.

Leur toute petite fille lovée entre eux, il pressa les lèvres de Caroline, goûta leur texture de velours, mordilla leurs courbes, dévora leur pulpe délicieuse. Elle avait un goût de beurre de cacahuètes et de thé glacé.

Il entendit un gémissement, crut que Hailey protestait et s'écarta de quelques centimètres pour lui donner plus d'espace… puis il comprit que ce petit cri suppliant venait de sa femme. Elle suivit son mouvement de recul, sa main libre se posa autour de sa nuque pour le retenir. Un grondement naquit au fond de lui, comme un moteur puissant qui n'a pas tourné depuis très longtemps. Cela se déploya en lui, roula dans sa poitrine en rassemblant toute sa puissance, puis explosa dans leur baiser.

Ecartant les lèvres de sa femme, il plongea dans les profondeurs de sa bouche et les explora. Les petits bruits que faisait Hailey en tétant se mêlèrent aux leurs. Posant délicatement la main sur la tête duveteuse de la petite, Matt téta la bouche de Caroline. L'idée qu'ils fussent tous trois reliés de cette façon allumait en lui un brasier stupéfiant. Son corps tout entier entra en pulsation, des terminaisons nerveuses qu'il avait crues mortes se réveillèrent. A tâtons, il chercha l'ourlet du chemisier de Caroline, trouva son autre sein. Le mamelon était dressé, humide, prêt à l'accueillir.

Il le toucha délicatement — il se souvenait à quel point ses seins étaient sensibles quand elle allaitait — et aspira son petit hoquet de plaisir. Sous ses doigts, son lait jaillit et il gémit à son tour. Lentement, il se pressa contre elle, la renversant en arrière...

Une voix aiguë arrêta net leur mouvement.

— Qu'est-ce que vous faites !

Jeb. La tête de Caroline se releva si abruptement qu'elle heurta le menton de Matt. Voulant frotter l'endroit douloureux, il retira la main qui la soutenait et elle faillit basculer en arrière, Hailey dans ses bras. Il la retint de justesse.

— Ne fais plus un geste ! cria-t-il de sa voix de policier.

Jeb se figea... en équilibre sur un vieux tronc qui s'avançait de plusieurs mètres dans l'étang. Sa balle flottait juste hors de sa portée, en pépiant gaiement. Sur la berge, Alf aboyait furieusement.

Matt sauta sur ses pieds avec un regard furieux pour le chien.

— C'est maintenant que tu me préviens ? Jeb, reste tranquille, j'arrive. Ne bouge pas.

— Mais ma balle est dans l'eau. Je l'entends, elle est juste…

Il voulut se tourner pour montrer son jouet et perdit l'équilibre. Sa bouche s'ouvrit toute grande, ses yeux s'écarquillèrent, il battit des bras…

— Oh ! Oooooh !

Et il s'abattit dans l'eau avec un « plouf » retentissant.

Matt fonça, se jeta vers lui dans une grande gerbe d'eau et le souleva par la ceinture. Le petit postillonnait, furieux. Matt allait se lancer dans une grande tirade de reproches quand le comique de la scène le frappa. Le corps du garçonnet, rendu encore plus maigre par ses vêtements trempés, ses bras et ses jambes qui battaient furieusement l'air, la feuille de nénuphar accrochée à son oreille gauche…

Jeb protestait, et cela aussi lui sembla incroyablement drôle. Il rit si fort que les larmes lui jaillirent des yeux, que ses flancs se mirent à lui faire mal. Bien sûr, Jeb finit par se mettre à rire à son tour, en l'éclaboussant tant et plus. Il réagit en le trempant dans l'eau, où il refit surface en soufflant comme un phoque. Derrière eux, il entendit que Caroline riait aussi.

Peu à peu, le fou rire s'éteignit et ils purent reprendre leur souffle.

— Qu'est-ce que tu fichais sur ce tronc d'arbre ? demanda Matt au garçon.

— Je n'arrivais pas à reprendre ma balle. Je vous ai appelés, mais vous ne répondiez pas.

Son petit visage se plissa dans une grimace interrogative.

— Qu'est-ce que vous faisiez ? Vous dormiez ?

Décidant que certaines questions méritaient un judicieux silence, Matt jeta le garçon en travers de ses épaules et le ramena sur la berge.

Une demi-heure plus tard, Caroline venait de coucher Hailey pour sa sieste quand la sonnette de l'entrée retentit. Elle se hâta de sortir de la chambre pour aller ouvrir avant qu'un nouveau coup de sonnette ne réveillât la petite. Au même moment, Matt jaillissait de la salle de bains. Décontenancée par la vue d'une étendue aussi impressionnante de poitrine recouverte de toison fauve encore humide, elle faillit le heurter. Il l'attrapa au vol, la remit sur ses pieds et, par chance, ne la lâcha pas tout de suite. Ses jambes répondaient mal, comme son cerveau, d'ailleurs. Son vocabulaire tout entier semblait s'être envolé. Sa mémoire, en revanche, fonctionnait à plein rendement. Elle rougit furieusement en retrouvant chaque sensation du baiser qu'ils avaient échangé quelques instants plus tôt. Hailey à un sein, lui à l'autre… Elle l'avait inondé de lait ! Loin de sembler dégoûté, il semblait bouleversé, fasciné… et surtout excité. Aussi excité qu'elle !

A quoi pensait-elle, avec Jeb à quelques pas ? Bien sûr, le petit ne risquait pas de voir grand-chose, mais cela n'excusait pas son comportement. Se laisser emporter de cette façon, c'était immature ! Imprudent ! Totalement irresponsable… Et parfaitement irrésistible !

Matt se dandinait d'un pied nu sur l'autre. Son jean était accroché très bas sur ses hanches et ses cheveux, encore humides de la douche rendue nécessaire par son plongeon dans l'étang, retombaient sur ses yeux placides.

— Tu… euh… tu veux que j'aille ouvrir la porte ?

— Hein ?

— La porte, répéta-t-il.

— Ah, la porte…

Il avait aussi pris le temps de se raser, et de mettre de cette lotion après-rasage qu'elle aimait tant. Elle le trouvait magnifique, mais… heureusement qu'il ne s'était pas rasé avant de l'embrasser ! Elle vivait dans un univers de peaux lisses d'enfants, de toutes petites mains, et cela faisait trop longtemps qu'elle n'avait pas senti le contact râpeux d'une joue d'homme. Il se passerait peut-être une éternité avant qu'elle ne la sentît de nouveau…

— Caroline ?

Elle secoua la tête pour s'éclaircir les idées, recula d'un pas et se retrouva le dos au mur. Une chance, car elle avait grand besoin d'un point d'appui.

— Laisse tomber, j'y vais…, dit Matt.

En fin de compte, Jeb arriva le premier, ouvrit à la volée et se mit à raconter son aventure en bondissant littéralement sur place d'excitation, uniquement vêtu d'un T-shirt appartenant à Matt qui l'enveloppait comme une toge. Il était si pressé de trahir ses baby-sitters qu'il en trépignait.

— Maman ! J'suis tombé dans l'étang !

Caroline et Matt se hâtèrent de descendre. Savannah tenta d'embrasser son petit garçon mais il était trop excité pour se laisser faire.

— Tu es tombé dans l'étang ? Comment as-tu réussi à tomber dans l'étang ?

Jeb se tortillait comme un ver pour lui échapper.

— Je suivais ma balle et je suis tombé profond !

146

— Oh ! s'exclama Savannah, apparemment très impressionnée. Alors, tu as nagé, comme tu as appris l'été dernier ?

— Non. M. Matt est venu me sauver.

— M. Matt ? répéta-t-elle en levant un regard amusé vers Caroline et Matt qui descendaient vers elle. Et où étaient M. Matt et Caroline pendant que tu tombais à l'eau ?

— Ils dormaient ! cria le petit.

Sa mère leur jeta un regard sceptique. Avant qu'elle pût se faire une idée fausse de la situation — ou une idée juste —, Caroline se hâta d'intervenir :

— Nous étions étendus sur la couverture, sur la berge.

— A quelques pas de lui, précisa Matt.

Devant leurs expressions coupables, Savannah haussa un fin sourcil. Les joues déjà roses de Caroline prirent feu et Matt se mit à contempler attentivement un rhododendron qui poussait près de la porte.

— Je vois, dit-elle, très amusée, avant de se pencher vers son fils. Si tu te rhabillais ? On pourrait aller manger une glace, non ?

— Une glace ! Oui ! Une glace !

Survolté, il galopa vers la salle de jeux. Caroline s'éclaircit la gorge.

— Ses affaires étaient couvertes de vase... Je les ai lavées et passées au séchoir, je pense qu'elles doivent être prêtes.

— Je vais les chercher, intervint Matt.

Il battit en retraite. Caroline resta là, tout en évitant le regard de son amie.

— Alors ? demanda celle-ci. Il y a quelque chose que je devrais savoir ?

— Non.

— Encore mieux ! Il y a donc quelque chose que je n'ai pas à savoir. Je vais emmener Jeb et vous laisser en tête à tête tous les deux.

— Ce n'est pas ce que tu penses.

— Ah ?

— Enfin, c'est peut-être ce que tu penses, mais…

Caroline s'interrompit, fronçant les sourcils.

— Qu'est-ce que tu fais ici si tôt, d'ailleurs ?

Savannah éclata de rire et consentit enfin à cesser ses questions.

— Un shérif absolument charmant est passé aujourd'hui pour me dire que Thomas n'est pas dans les parages, et qu'il ne s'est jamais approché de Sweet Gum. J'ai eu envie de prendre mon après-midi et de venir chercher Jeb pour le gâter un peu.

— Pour fêter ça ?

— Plus ou moins.

Jetant un regard derrière elle pour s'assurer que le petit ne les entendait pas, elle confia :

— Je l'ai quasiment retenu prisonnier à la maison, ces derniers temps. Nous ne sommes pas beaucoup sortis.

Spontanément, Caroline l'attira dans ses bras pour l'embrasser.

— Je suis si contente de te savoir en sécurité !

— Et moi donc ! Maintenant, il suffirait de retrouver Gem et tout redeviendrait comme avant !

Matt reparut avec Jeb, tout habillé de propre, sur les talons. Savannah prit le garçon par la main et observa l'homme d'un regard averti, avant de lancer un clin d'œil à Caroline.

— Maintenant que j'y pense, tu n'as peut-être pas envie que tout redevienne exactement comme avant !

Elle était partie, emmenant Jeb avec elle, avant que Caroline pût trouver une réplique satisfaisante.

— Qu'est-ce qui se passe ? demanda Matt.

— J'aimerais bien le savoir, dit-elle en braquant sur lui un regard sévère.

— Ne me regarde pas comme ça, protesta-t-il. C'est toi qui lui parlais.

— Je ne parle pas de Savannah.

— Oh !

Il se remit à se dandiner d'un pied sur l'autre.

— Tu veux dire, près de l'étang ?

— Bravo !

Il réfléchit. Un instant, elle crut qu'elle obtiendrait une vraie réponse. Une fois de plus, elle dut déchanter.

— Disons que c'était au nom du bon vieux temps, répondit-il enfin, et restons-en là.

Ses yeux verts virèrent au gris — ces yeux incroyables qui pouvaient la brûler et se transformer en glace en l'espace de quelques instants. En ce moment, ils se refroidissaient très rapidement. S'efforçant de ne pas laisser la déception l'envahir, elle se tourna vers l'escalier.

— Attends ! lança-t-il derrière elle.

Elle s'arrêta.

— Je suis descendu jusqu'à l'étang parce que je voulais te demander quelque chose.

Lentement, elle pivota vers lui, espérant malgré elle qu'après ce moment si intime elle obtiendrait plus de sa part qu'une simple question.

— Quoi donc ?

Il la contempla longuement, comme s'il pouvait voir en elle, lire ses pensées. Après quinze années de mariage, il le pouvait sans doute...

— Je dois rentrer à Port Kingston ce week-end, dit-il enfin.

Il parlait lentement, comme s'il réfléchissait encore à ce qu'il voulait dire.

— Oui, le mariage de Paige, dit-elle. Je n'ai pas oublié.

Il hocha la tête.

— Je voudrais que tu viennes avec moi. Que vous veniez toutes les deux, Hailey et toi.

9.

Caroline n'avait plus ressenti une telle frayeur depuis l'année de ses sept ans, quand elle s'était retrouvée tout en haut de la grande roue, à la foire de Dallas. Elle sentait littéralement ses genoux trembler.

— Tu les as prévenus de notre arrivée ? demanda-t-elle.

— Oui.

— Mais tu ne leur as pas parlé de…

— Non.

Agacée, elle vit qu'il était aussi inquiet qu'elle. Pourtant, il n'avait pas le rôle le plus difficile : c'était à elle de révéler l'existence de Hailey au grand-père et à la sœur de Matt ! Quand elle pensait au clan Burkett, si soudé… Qu'allaient-ils penser d'elle lorsqu'ils sauraient qu'elle leur avait caché cette nièce, cette petite-fille ?

Depuis la mort des parents de Matt, bien des années auparavant, son grand-père Paul avait maintenu la cohésion de la famille, leur offrant un soutien extraordinaire pendant la maladie de Brad. Paige était autrefois comme une sœur pour elle : elles avaient fait les boutiques ensemble pour trouver sa robe de mariée, posé ensemble la tapisserie à nounours de la chambre de Brad, pleuré dans les bras l'une de l'autre à son enterrement. Les Burkett l'avait accueillie dans la famille à bras ouverts, et elle les avait trahis. L'heure était venue de tout leur avouer.

Le porte-bébé de la petite accroché à son coude, elle s'immobilisa devant la maison de pierre de Paul Burkett, dans un quartier rustique de Port Kingston. Dans un enclos, derrière la maison, une douzaine de bergers allemands aboyaient ; elle entendit un fracas métallique lorsque l'un d'eux bondit contre la clôture. Des sons très familiers, car les Burkett avaient le dressage des chiens dans le sang : Matt et sa sœur tenaient cela de leur grand-père, spécialiste des bergers allemands depuis la Seconde Guerre mondiale.

Ils s'immobilisèrent devant la porte d'entrée. La main de Matt vint se poser dans son dos et elle sentit qu'il étudiait son visage.

— Prête ?

— Bien sûr, répondit-elle sans conviction aucune.

— Tu veux que j'y aille le premier ? Que je leur parle ?

— Non.

Nerveuse, elle humecta ses lèvres sèches. Elle avait fait ses choix, elle assumerait donc les conséquences.

Un grand éclat de rire leur parvint de l'intérieur. De nombreuses voix se mêlèrent, se couvrirent les unes les autres, s'apaisèrent dans un bourdonnement continu de conversation. Même sans comprendre ce qui se disait, Caroline sut que l'ambiance de bonne humeur était évidente. Paige se mariait cet après-midi et, pour entamer les festivités, son grand-père avait organisé un brunch réservé à la famille et à quelques proches. Un drôle de moment pour lâcher une bombe pareille !

Cette idée la paralysa. Elle ne pouvait pas faire ça, elle ne pouvait pas entrer avec un bébé dans les bras et se joindre à la fête comme si de rien n'était ! Comme si, un an plus tôt, elle n'avait pas mis en pièces cette famille si unie ! Elle ne pouvait pas gâcher cette journée...

— Attends, dit-elle, ce n'est peut-être pas une bonne idée. Il faut laisser cette journée à Paige et son mari. Tu n'as qu'à y aller sans moi. Demain, on pourra...

Tout en parlant, elle reculait pas à pas vers la rue. Quand Matt lui barra le passage, elle leva la tête d'un air de défi, prête à affronter sa condescendance, ses reproches, même sa colère... Il la stupéfia en prenant sa main dans la sienne d'un geste rassurant.

— On va le faire ensemble, dit-il.

L'entraînant avec lui, il pressa la sonnette, tourna la poignée et entra tout droit.

Pleine d'appréhension, elle s'avança avec lui dans l'entrée, retrouva la bonne odeur d'encaustique, d'huile de lin et de saucisses fumées. Grand-père Paul aimait les vieux meubles et la bonne charcuterie. Aux dernières nouvelles, son médecin lui interdisait celle-ci, mais il avait dû faire une exception pour cette occasion spéciale.

La maison était ainsi faite que la grande table de la cuisine se trouvait dans l'alignement de l'entrée, placée devant une paroi vitrée donnant sur le jardin et entourée de plantes vertes. A leur entrée, ils se retrouvèrent donc immédiatement confrontés à l'assemblée tout entière. La conversation s'interrompit net, les têtes se tournèrent, et ceux qui étaient installés dos à la porte repoussèrent bruyamment leurs chaises pour voir les nouveaux arrivants. La porte d'entrée s'était déjà refermée derrière Caroline. Tous ces regards curieux braqués sur elle... Elle se raidit comme un soldat face au peloton d'exécution. Plusieurs secondes passèrent dans un silence total ; les chiens eux-mêmes n'aboyaient plus.

Matt finit par rompre le silence en s'éclaircissant la gorge.

— Euh… Bonjour tout le monde. Caroline et moi, nous avons quelque chose…

Paige bondit de sa chaise et se précipita vers eux, sa queue-de-cheval blonde volant comme un étendard, son T-shirt à l'écusson de la police de Port Kingston claquant comme si elle pourchassait un voyou. Elle s'arrêta net devant Caroline, tomba à genoux, et souleva avec précaution la couverture légère de Hailey.

— C'est un bébé…

Elle leva les yeux vers Matt, puis vers Caroline, se tourna vers la table derrière elle comme pour prendre tout le monde à témoin. Un immense sourire illuminait son jeune visage.

— Vous vous rendez compte ? C'est un bébé !

Comme un troupeau qui s'emballe, tous les convives se précipitèrent vers eux. Quelques secondes plus tard, Caroline se retrouvait installée en tête de table, à la place de grand-père Paul, croulant sous le poids des embrassades, repoussant la nourriture qu'on lui offrait et cherchant à se souvenir des noms des inconnus qu'on lui présentait. Pendant ce temps, Hailey passait de main en main. Les hommes la soulevaient au-dessus de leurs têtes en lui faisant des grimaces comiques, les femmes la berçaient en gazouillant. Le volume sonore remonta et, en quelques minutes, la fête avait repris son cours.

Installée à cette place d'honneur qu'elle ne méritait pas, Caroline contemplait la scène. Elle qui se sentait si coupable, on l'acceptait sans poser de questions, sans demander la moindre explication. Une grosse boule de reconnaissance lui obstrua la gorge. Comme ils lui avaient manqué, tous ! Comme c'était bon de les retrouver ! Elle commençait à contrôler son émotion quand Paige se laissa tomber sur une chaise à côté d'elle. Elle l'avait déjà embrassée deux fois, mais elle recommença sans le moindre complexe. Ses yeux n'étaient pas plus secs que ceux de Caroline.

— Si tu savais comme je suis contente... Tu m'as manqué.

— Toi aussi, tu m'as manqué.

En quittant son ancienne vie, elle avait dû renoncer à cette amitié si importante. Quelques mois plus tôt, elle s'était sentie folle d'inquiétude en apprenant aux informations la disparition de Paige alors que celle-ci se trouvait sur la piste d'un malfrat.

— J'ai pensé venir quand tu as été enlevée, pour être auprès de grand-père Paul, mais...

Paige suivit son regard vers Hailey, nichée dans les bras d'un Indien appelé Toby — si Caroline avait bien saisi son nom —, un ami de Marco, le fiancé de Paige.

— Mais tu étais assez occupée, acheva son amie sans rancœur.

Caroline hocha la tête, gênée.

— Il n'y avait pas de problème, ajouta Paige en rougissant un peu. En fin de compte, tout s'est bien terminé.

Effectivement, puisqu'il s'était avéré que Marco l'avait kidnappée lui-même, pour son propre bien ! Caroline lui sourit.

— Où est-il ?

— Oh, il tient beaucoup à la tradition qui veut que le mari ne voie pas sa femme avant la cérémonie. En fait, je crois qu'il voulait surtout faire la grasse matinée. Les collègues ont organisé une petite fête entre hommes, hier soir.

— Aïe ! aïe ! aïe !

— C'est bien mon avis, dit Paige en tripotant nerveusement les couverts devant elle. Tout de même, j'aimerais bien qu'il soit là. Histoire d'être sûre qu'il ne se défilera pas avant la cérémonie.

— Tu as peur qu'il se dégonfle au dernier moment ?

— Non. Plutôt moi.

— Ah ! dit Caroline en hochant la tête d'un air sagace. Je me souviens des angoisses du grand jour. Mais tu sais déjà que tu ne peux pas lui échapper.

— Quand il est là, je n'ai aucune envie de lui échapper ! s'écria Paige.

Elles riaient toujours quand la plainte grêle de Hailey perça le brouhaha ambiant. Le visage plissé, la petite agitait ses poings serrés et, brusquement, tous ces gens qui tenaient tant à la prendre dans leurs bras se hâtèrent de la rendre à sa mère.

Caroline venait de l'installer sur ses genoux, un peu rassérénée mais encore larmoyante, quand Paul Burkett vint se placer près d'elle, les mains sur ses épaules. Il se mit à parler et tous les autres firent le silence.

— Aujourd'hui, nous fêtons la création d'une nouvelle famille…

Son regard tendre se posa un instant sur Paige, puis il reprit :

— Maintenant, grâce à Caroline, nous avons deux heureux événements à célébrer. La création d'une nouvelle famille et la renaissance d'une ancienne.

Atterrée, Caroline ouvrit de grands yeux, chercha à protester. Derrière elle, grand-père Paul levait bien haut un verre de jus d'orange, la seule boisson qui lui fût encore permise :

— A Paige et Marco ! déclara-t-il.

Chacun s'empara de son verre et le brandit en répétant :

— A Paige et Marco !

— Paige et Marco, qui commencent leur nouvelle vie ensemble…

Grand-père Paul but et leva de nouveau son verre, sa main libre toujours posée sur l'épaule de Caroline. Le cœur serré, celle-ci chercha le regard de Matt, le suppliant en silence de faire quelque chose. Aussi choqué qu'elle, il regardait son grand-père, incapable de réagir. C'était un affreux malentendu, mais le vieux monsieur semblait si heureux, si rempli de gratitude, qu'ils ne trouvaient ni l'un ni l'autre les mots pour le détromper.

— Et à Matt et Caroline, clama le vieil homme. De nouveau une famille !

L'assemblée entière but joyeusement à leur bonheur. Caroline eut envie de pleurer.

Sous l'éclat du soleil, Paige ressemblait à une princesse en satin blanc, avec Marco à son côté en prince ténébreux, grand et mince dans son habit bien coupé. Un homme à la peau cuivrée d'Indien se tenait solennellement près de lui, et Carly Swope, l'amie de Paige depuis le lycée, rayonnait et s'essuyait les yeux tour à tour avec un délicat petit mouchoir bordé de dentelle.

La cérémonie fut très simple. Caroline entendit à peine l'échange des consentements ; l'émotion la prit par surprise. Son propre mariage semblait à la fois dater d'hier et d'une autre vie… Et voilà qu'elle se retrouvait auprès de Matt, pour assister avec lui à un autre mariage. En écoutant Paige et Marco réciter leur promesse, elle entendait sa propre voix et celle de son mari — ce qui était terrible, parce qu'aujourd'hui sa place à ses côtés ne lui revenait plus de plein droit.

Elle lui avait demandé de parler à la famille. De leur expliquer que la réconciliation n'était pas faite, que loin de revenir s'installer à Port Kingston, elle voulait juste leur faire connaître Hailey. Elle tenait beaucoup à ce que Hailey fût acceptée dans le clan, qu'elle eût des racines. Jamais elle n'avait imaginé qu'ils tireraient de telles conclusions en les voyant ensemble tous les deux...

Il fallait leur dire la vérité, le plus vite possible ; plus on attendrait, plus ce serait difficile. Matt l'avait convaincue d'attendre un peu, pour ne pas gâcher le mariage de Paige et le bonheur de grand-père Paul, mais... elle ne repousserait pas cette annonce plus tard que le lendemain !

— Bravo, ici !

Elle sursauta, arrachée à ses pensées par l'ordre que lançait la voix claire et joyeuse de Paige. Autour d'elle, les invités se retournaient les uns après les autres en murmurant, puis en riant... Bravo, le chien de la mariée, remontait la travée centrale en col dur et nœud papillon noir. Il apportait les alliances !

Les anneaux furent échangés, les promesses d'une vie d'amour scellées d'un baiser, et le pasteur referma sa bible.

— Mesdames, messieurs, dit-il à l'assemblée, je vous présente M. et Mme Marco Angelosi et...

Il s'interrompit pour toiser le chien policier, assis fièrement entre les mariés, et acheva :

—... et leur meilleur ami !

La foule se remit à rire, et chacun se leva pour aller féliciter les nouveaux époux. Caroline attendait son tour, ballottée entre des émotions contradictoires. Elle se sentait très heureuse pour Paige... et très heureuse aussi que ce fût terminé !

Le temps de revenir à la voiture de Matt, elle avait changé d'avis, car ils venaient d'affronter une véritable tempête de félicitations, presque autant que les mariés du jour ! Les amis et collègues de Matt ne cessaient de l'aborder pour lui serrer la main avec enthousiasme tandis que leurs femmes, leurs mères ou leurs petites amies embrassaient Caroline en s'extasiant devant la jolie frimousse de Hailey. Lundi matin, la police de Port Kingston au grand complet penserait qu'ils étaient de nouveau ensemble. Pour la deuxième fois, Matt allait devoir exposer sa vie privée, endurer les questions et les explications afin de les convaincre qu'ils se trompaient.

En fait, rien n'était terminé. Pour Matt en tout cas, cela ne faisait que commencer.

Sur la scène, le disc-jockey ne passait que des chansons terriblement sentimentales, mais personne n'y trouvait à redire. Le buffet était excellent, le vin coulait à flots, l'ambiance était joyeuse et détendue.

De l'autre côté de la salle, Matt vit sa sœur prendre Hailey des bras de Caroline et l'installer confortablement sur son épaule, pour la dixième fois au moins.

— Je crois que tu as un gros problème, dit-il à Marco.

— Comment ? Quel problème ? demanda le beau garçon en se tournant cordialement vers lui.

Matt but une gorgée et fit un signe de tête discret vers Paige.

— Elle n'a pas lâché ce bébé de toute la soirée. Elle va bientôt en vouloir un à elle.

Marco lui lança un sourire éblouissant.

— J'espère bien qu'elle en voudra plusieurs !

159

— C'est vrai ? demanda Matt, décontenancé.

— Je ne demande pas mieux !

L'étincelle, dans ses yeux noirs, ne devait rien à l'éclairage quand il précisa :

— Avant de marquer un but, il faut beaucoup s'entraîner, si tu vois ce que je veux dire.

Matt fronça les sourcils.

— Pas obligatoirement, marmonna-t-il.

Puis, brusquement agacé :

— Dis donc, c'est de ma sœur que tu parles !

Marco éclata de rire et posa son verre vide sur le plateau d'un serveur qui passait devant eux.

— Tu sais quoi ? Puisque tu es si inquiet pour la vertu de ta sœur, je vais la laisser s'occuper du bébé un petit moment… et faire danser ta femme. Elle a l'air un peu seule, là-bas.

Matt allait répliquer, sèchement sans doute, quand il remarqua l'expression de Caroline. Elle aussi devait se sentir troublée par les événements insensés de ces dernières heures… Il aurait dû deviner à l'avance la réaction de sa famille. A quoi pensait-il, d'entrer dans la maison de son grand-père en tenant sa main dans la sienne ?

Le mieux aurait été de rectifier tout de suite cette fausse impression. A moins qu'ils ne fussent pas si loin du compte ? Il y avait tout de même eu ce baiser… Ce jour-là, la réaction de Caroline n'était pas le produit de son imagination. Lui qui pensait avoir fait son deuil de leur relation… Il ne pouvait savoir que son cerveau avait oublié de prévenir son corps que tout était fini !

Comment admettre qu'un simple contact de leurs bouches avait pu soulever une telle bouffée de passion ? Il avait failli perdre la tête. Un homme n'était pas censé désirer la femme à qui il venait de demander le divorce !

De l'autre côté de la salle, il vit un ami de son grand-père prendre le bébé des mains de Paige, pendant que celui-ci entraînait la jeune mariée sur la piste de danse. Matt leva les yeux au ciel. Il savait ce qui allait suivre ! Pour Grandpa, aucune fête ne pouvait s'achever sans…

Et voilà ! Avant même qu'il eût pu compléter sa pensée, une polka allemande jaillit de la sono. Sur la piste, les danseurs de slow levèrent la tête, surpris, puis se mirent à sautiller de bon cœur. Ceux qui ne connaissaient pas les pas firent de leur mieux pour imiter les autres, et bientôt la moitié des invités tapait des pieds, tels des enfants en train de démolir une fourmilière.

Dépassé, Matt regarda Caroline tenter d'initier Marco. L'exercice lui enflammait les joues, elle souriait joyeusement, dansait avec entrain. Elle semblait vraiment s'amuser ! D'abord perplexe, il sentit monter en lui une émotion plus nostalgique. Il était si bon de voir rire Caroline… Et de la voir se fondre si facilement dans ce groupe de famille et d'amis. Elle prenait sincèrement part à leur bonheur, alors que lui…

Il était bien obligé de se l'avouer : depuis quelques années, il s'éloignait progressivement de ceux qui lui tenaient le plus à cœur. Ce n'était pas délibéré de sa part. Plutôt une stratégie de survie, comme on se roule en boule après un coup dur. Et la mort de Brad était un coup particulièrement violent ! Ce soir, devant le bonheur de Paige et de Marco, la joie de son grand-père, le visage rayonnant de Caroline, il se sentait plus isolé que jamais. Il mesurait à quel point il s'était retiré du courant de l'existence — spectateur plutôt que participant.

Un brusque sentiment de révolte l'envahit. Il en avait assez !

Paige et son grand-père passèrent devant lui en bondissant. Le vieil homme fit virevolter sa cavalière, et elle s'abattit dans les bras de Matt avec une exclamation exubérante.

— Danse avec ta sœur, lança grand-père Paul, tout essoufflé. Donne un peu de répit à un pauvre papy !

Paige leva vers lui un visage rempli d'espoir. Quelques semaines plus tôt, il aurait trouvé un prétexte pour s'esquiver. Il aurait ramené sa sœur à son jeune mari, et se serait retranché dans la pénombre, au fond de la salle ; il aurait passé le reste de la soirée à regarder les autres s'amuser. Mais pas ce soir ! Ce soir, l'envie le prenait tout à coup de recommencer à vivre. Si seulement il se souvenait encore de la meilleure façon de s'y prendre...

S'inclinant cérémonieusement devant Paige, il murmura :

— C'est un honneur...

Et ils partirent en tapant des pieds. A sa grande surprise — et à son grand plaisir —, il s'aperçut qu'il était capable de s'amuser comme un fou. Depuis le temps qu'il ne riait plus, il pensait ne plus savoir le faire...

A son grand regret, la polka se termina et le disc-jockey lança un slow langoureux. Dès les premières notes, Marco se matérialisa derrière lui et lui subtilisa sa partenaire en déposant la sienne entre ses bras. Avant qu'il pût réagir, Paige n'était plus là, et il tenait Caroline.

Des couples se balançaient autour d'eux, les points de lumière virevoltaient sur le plafond, les murs et les danseurs comme un millier d'étoiles filantes. Caroline respirait à peine, et il s'aperçut que lui non plus n'avait pas de souffle. L'espace d'un instant, il se retrouva à sa propre réception de mariage, hypnotisé par les yeux tendres, heureux et terrifiés de Caroline quand il l'avait entraînée sur la piste pour ouvrir le bal.

Elle était si belle, ce soir-là ! Quand il y pensait, il en avait le cœur brisé. Il aurait voulu pleurer cet amour qui l'étouffait, les premières années… et qui l'étouffait encore aujourd'hui ! Il aimait toujours sa femme, et il venait seulement de le comprendre. Quelle révélation, dans un moment pareil !

Raide et crispé, il avança d'un pas ; aussi rigide que lui, elle suivit son mouvement en levant vers lui un regard interrogateur. Il fit un autre pas, puis un autre, et peu à peu, ils se détendirent tous deux. Quand enfin il l'attira dans ses bras, elle s'abandonna dans un soupir et se blottit contre sa poitrine.

Il cessa d'entendre la musique ; elle pénétrait vaguement ses pensées, déformée comme une mélodie jouée sous l'eau. Il flottait à présent dans une eau profonde avec Caroline, main dans la main, corps contre corps. Ils se balançaient au gré des courants, en avant, en arrière, leurs deux corps se déplaçant comme un seul ; ils communiquaient du souffle, du regard… Ouvrant enfin son cœur, il se perdit en elle. Tant et si bien que, quand elle s'immobilisa, il fut surpris de s'apercevoir que la musique s'était arrêtée et que les autres couples avaient déjà quitté la piste.

La fête était terminée ; il était temps de ramener sa femme à la maison.

Ils étaient déjà passés ce matin pour déposer Alf et permettre à Matt d'enfiler son plus beau complet, mais elle avait préféré patienter dans la voiture. En prétextant qu'elle ne voulait pas déranger Hailey qui, après avoir pleurniché pendant tout le trajet, venait enfin de s'endormir. En réalité, elle préférait remettre à plus tard le moment de passer le seuil de cette maison qui était aussi la sienne.

La porte s'ouvrit, et elle respira à fond pour se donner du courage. Après tout, ce n'était pas une telle affaire, il ne s'agissait que d'une maison… Elle avait beau se répéter cela, son pouls s'accéléra en passant le seuil, et sa nuque se mit à picoter désagréablement.

L'intérieur n'avait guère changé. Le carrelage gris ardoise de l'entrée avait toujours besoin d'être rejointoyé, le banc-coffre brillait, de ce genre de poli que seul peut donner un encaustiquage à la main. L'horloge de la cheminée du living avait toujours dix minutes d'avance… et la maison restait beaucoup trop silencieuse.

— Si tu veux monter te rafraîchir un peu…, proposa Matt.

Dans l'espace immobile de cette maison trop grande pour une seule personne, sa voix avait un écho étrange.

— … Je vais sortir le berceau de la voiture et le monter.

Elle hocha la tête, se dirigeant vers l'escalier. L'épaisse moquette ivoire étouffait son pas, et elle se faisait l'effet d'un fantôme. L'ombre de l'ancienne Caroline passait devant ses souvenirs : la photo encadrée de Matt, le jour de la remise des diplômes de l'école de la police, une photo de famille prise un jour de Noël par grand-père Paul, Brad en tenue de base-ball… Ses bras se resserrèrent sur Hailey et elle essaya de ne plus rien voir, de ne plus se souvenir de rien.

Pourtant, une fois sur le palier, elle ne put résister à l'appel de la seconde porte à sa droite. Le souffle court, elle entra et s'assit sur le lit. Il n'y avait plus de jouets, plus de vêtements. La porte du placard était entrouverte, l'espace à l'intérieur parfaitement nu. Restait le fanion triangulaire des Astros de Houston, accroché au-dessus du petit bureau où Brad faisait ses devoirs chaque soir. Il était bon en mathématiques, se souvint-elle tout à coup, et nul en orthographe.

Elle toucha l'oreiller sur lequel sa tête avait reposé, en pensant à toutes les fois où Matt et elle étaient entrés ici avant de se coucher, pour remonter les couvertures ou ramasser ce coussin du plancher où leur fils le jetait, dans son sommeil agité. Hailey était comme lui : tous les objets à sa portée pendant son sommeil se retrouvaient sur le sol.

Si seulement sa petite fille avait pu connaître son grand frère, nul doute qu'elle l'aurait adoré…

Tout à coup, elle releva la tête et trouva Matt près d'elle. Depuis combien de temps la regardait-il ? Elle ne le savait pas, mais maintenant qu'elle s'était aperçue de sa présence, son ombre sur elle lui semblait lourde et difficile à supporter. Sans un mot, il lui tendit la main et l'attira hors de la chambre, ses yeux vert d'eau reflétant son chagrin, tel un miroir, sans laisser voir ce qu'il recelait au fond de lui.

— J'ai mis le berceau dans la chambre d'amis, dit-il.

Engourdie, elle le suivit sans répondre, espérant pourtant qu'il lui dirait autre chose que des mots banals. Quelque chose au sujet de Brad, par exemple. Pourquoi n'avaient-ils jamais parlé de lui ?

Elle installa Hailey pour la nuit, sans que la petite se réveillât. Planté sur le seuil, il la contemplait toujours. Passant devant lui, elle sortit et tira la porte derrière eux, la laissant entrebâillée de façon à entendre si l'enfant pleurait. Emergeant de son immobilité pesante, il battit en retraite vers l'escalier.

— Matt…, chuchota-t-elle.

Il s'immobilisa, se retourna à demi vers elle. N'y tenant plus, elle alla le saisir aux épaules ; ses muscles se gonflèrent sous ses paumes quand elle l'obligea à la regarder bien en face.

— C'est difficile pour tous les deux de se retrouver ici, ensemble.

Le visage impassible, il ne cilla pas, ne montrant en aucune façon qu'il l'avait entendue.

— Nous devrions peut-être parler, dit-elle. Je crois que ça nous aiderait tous les deux.

Elle se résignait déjà à son refus. Il allait se replier dans son bureau et fermer la porte… Il la surprit en franchissant tout à coup l'espace qui les séparait. Quand il s'immobilisa de nouveau, il était si près qu'elle le sentait respirer.

— De quoi veux-tu parler ? demanda-t-il.

— De Brad. De Hailey. De nous…, acheva-t-elle d'une voix aiguë quand il se pencha vers elle.

— Non, répondit-il dans un souffle.

D'une main, il ouvrit la porte de leur chambre. De l'autre, il attira son corps tout contre le sien. Elle sentit son propre pouls s'emballer.

— Ce que tu veux de moi, ce soir, ce ne sont pas des paroles.

Puis il l'embrassa, et elle sut qu'il avait raison.

10.

Matt se redressa et attendit sa réaction. Elle avait posé les mains à plat sur sa poitrine, sans le repousser, mais sans l'attirer à elle. S'était-il trompé en croyant lire dans ses yeux le même désir qui tournoyait en lui depuis le matin ? Il percevait l'incertitude et l'angoisse qui la crispaient. Qu'allait-elle décider ?

Elle leva la main, et joua avec le col déboutonné de sa chemise de cérémonie. Un vent se leva en lui, rassemblant au passage toutes ses émotions et les mêlant dans un tourbillon de plus en plus rapide. Souffrance, tendresse, chagrin et solitude se fondirent dans un cyclone de désir.

— Tu m'as manqué, Matt…, dit-elle.

Se haussant sur la pointe des pieds, elle embrassa le creux de son cou.

— Tu m'as tellement manqué…

Il lui renversa la tête en arrière, puis écrasa sa bouche de la sienne en la retenant contre lui des deux mains. Comme si elle avait besoin qu'on la retînt ! Elle lui rendait son baiser avec la même ardeur. Bouleversé, il l'embrassa de toute son âme, la soulevant pour mieux la presser contre lui.

Il entendit deux coups étouffés : ses escarpins venaient de choir sur le sol, l'un après l'autre. A bout de souffle, elle détourna la tête, lui refusant ses lèvres le temps de respirer ; il dut se contenter de sa joue, de son oreille et de sa nuque. En trébuchant, il recula dans la chambre et s'abattit à la renverse sur le lit, la serrant toujours dans ses bras.

Ce contact de leurs corps, ce poids léger sur lui... Voluptueusement, il s'étira pour mieux le savourer. Son désir s'exprimait dans ses caresses : il était comme un homme qui s'éveille après un long sommeil, un homme qui renaît littéralement !

Elle s'empara de nouveau de ses lèvres tandis qu'il trouvait à tâtons la fermeture Eclair de la robe rose, toute simple, qu'elle avait portée pour la réception. Son cœur si lourd et engourdi battait plus vite, il prenait feu... La sensation de ses seins pressés contre sa poitrine, son ventre sur le sien, tout cela était indicible.

La respiration haletante et brutale, il tira la robe par-dessus la tête de Caroline, mordilla son épaule crémeuse, puis goûta sa peau au parfum de vanille et de miel. Ses sens reprenaient vie les uns après les autres, il s'emplissait du goût, de l'odeur et de la sensation de sa peau. Ses yeux aussi devaient être du festin : il devait absolument la voir tout entière...

D'une ruade, il se débarrassa de ses chaussures, la saisit par la taille, l'immobilisa entre ses genoux et se redressa pour la contempler. Le visage figé dans une expression lointaine, il abaissa sa robe avec une lenteur infinie, savou-rant chaque centimètre de peau révélé. Avec précaution, il défit la fermeture entre les deux bonnets blancs couvrant ses seins et s'immobilisa un instant, le souffle coupé par l'attente. Devinant sans doute ce qu'il espérait, elle se tendit comme un arc en pressant ses seins lourds dans ses paumes. Quand elle retomba, sa chevelure épaisse et brillante se déploya sur l'oreiller.

Combien de fois avait-il rêvé cette scène ? Cette fois, il ne se réveillerait pas dans un lit froid, seul, le corps douloureux. Elle était bien là, entre ses cuisses.

Il balaya le soutien-gorge et l'air de la pièce se fit épais, presque irrespirable. La poitrine brûlante, étourdi par le manque d'oxygène, il se courba, posa son visage dans la vallée entre ses seins, inhala son parfum et laissa sa douceur l'envahir tout entier.

Elle avait toujours été si belle... Mais en ce moment, étendue sur ce couvre-lit d'un vert profond, sa peau de perle luisant doucement, ses cheveux répandus en éventail et ses seins dans ses mains, elle était plus que belle. Elle était un chant d'oiseau à l'oreille d'un homme qui vient de recouvrer l'ouïe. Elle était la partie de son être qui manquait.

Elle leva les mains et se mit à défaire, un à un, les boutons de sa chemise. La vue de ses doigts agiles se déplaçant du haut en bas de sa poitrine chauffa son désir à blanc.

— Nous sommes faits l'un pour l'autre..., gronda-t-il. Faits l'un pour l'autre !

Ses mains se refermèrent sur ses seins, délicatement, malgré la rage de son désir. Pour l'instant, ils étaient le domaine de Hailey : il ne s'approprierait pas le territoire de sa fille. Il choisit plutôt de s'étendre à côté de Caroline, une jambe par-dessus ses cuisses, une main entraînant sa robe vers le bas en traçant la ligne centrale de son corps. Quand il parvint à son nombril, elle souleva les hanches en se tortillant, et réussit à se dégager de sa robe, puis de ses bas. Puis elle s'attaqua à sa chemise, la lui arracha et la jeta au pied du lit.

Il s'empara de sa bouche, l'embrassant encore et encore. Le besoin qu'il avait d'elle martelait en lui, le jetant contre elle dans un rythme qui annonçait ce qui allait suivre.

Ses mains fines passant et repassant sur sa poitrine le rendaient fou... Elles descendaient de plus en plus bas, le chatouillant, le taquinant, le caressant. Comme doués d'une vie indépendante, ses abdominaux se crispaient furieusement sous son attaque. Il retira la jambe qui pesait sur les siennes pour qu'elle pût s'ouvrir à lui, sa main trouva le centre humide de son désir et ils se figèrent tous deux de saisissement.

— Matt ! cria-t-elle en se convulsant contre lui. Oh, je t'en prie !

Il pressa deux doigts en elle et les maintint, bouleversé, tandis qu'elle explosait. Seigneur, il la savait passionnée, mais il l'avait à peine touchée ! Pourtant, ces secousses violentes étaient bien celles du plaisir. Avant que les derniers frissons ne s'éteignent, il céda au besoin de lui donner encore plus. Ce besoin furieux le jeta sur elle. Le regard fixé sur le sien, il écarta ses jambes du genou. Tout le désespoir, toute la longue défaite de l'année écoulée explosait en lui, le poussant vers elle, vers la jouissance. Il se retint de son mieux, le temps de tendre la main vers le tiroir de la table de nuit... et s'arrêta net.

La dernière fois qu'ils avaient fait l'amour... Cette fois-là aussi, il avait tendu la main vers le tiroir, sachant pourtant combien elle désirait avoir un bébé. Une fois le préservatif enfilé, il était revenu vers elle, pour trouver ses joues couvertes de larmes. Il revoyait encore son visage... Même alors, il n'avait pas renoncé, se contentant de serrer doucement son visage entre ses paumes en lui faisant l'amour, espérant que, s'il lui donnait assez de plaisir, elle serait consolée.

Elle ne s'était pas consolée.

Il avait beau boire ses larmes, d'autres venaient toujours, tandis qu'il montait en spirale vers le plaisir.

170

Il s'était servi d'elle, il l'avait déçue, et il ne se le pardonnerait jamais.

Avant qu'il pût dire un mot, trouver une excuse, elle le repoussa de toutes ses forces et roula vers le bord du lit. Ses mouvements étaient mal coordonnés, car son cerveau ne parvenait pas à transmettre à ses membres des instructions cohérentes. Son esprit et son corps la tiraient chacun de leur côté : physiquement dévorée par le désir, intellectuellement révoltée… Rien n'avait changé entre eux. Quelle stupidité de croire que cela pouvait changer !

Maladroitement, elle tira à elle le dessus-de-lit, comme si le fait de couvrir sa nudité pouvait la protéger de ce coup. Il se souleva pour lui permettre de prendre la couverture ; sans doute aurait-elle dû se sentir reconnaissante qu'il lui accordât cette pudeur, même s'il venait de lui retirer sa dignité. Ce n'était pourtant pas de la reconnaissance qu'elle ressentait, mais une fureur, une humiliation, un chagrin affreux.

Elle se laissa retomber sur le flanc, roulée en boule. Derrière elle, elle le sentit bouger et vit du coin de l'œil sa main se tendre vers son épaule.

— Non, dit-elle.

— Caro…

— Ne me touche pas.

La main se retira, mais pas le grand corps tout proche du sien.

— Je ne veux pas te faire souffrir de nouveau, dit-il après un long silence.

— Tu ne veux surtout pas que je commence une nouvelle grossesse.

Il la tira à lui, l'allongea sur le dos, position où elle ne pouvait plus éviter de le regarder en face.

— C'est trop tôt, plaida-t-il. Tu viens juste d'avoir un bébé, ton corps n'est pas prêt à en faire un autre.

— Comme c'est commode ! riposta-t-elle amèrement, lui renvoyant les mots qu'il avait prononcés le soir où elle lui avait appris que Hailey était sa fille.

— En fait, je ne trouve pas ça commode du tout, pour l'instant, murmura-t-il avec une petite grimace comique.

Elle se mordit la lèvre pour retenir un cri de rage, drapa le dessus-de-lit autour d'elle comme une toge et tenta de quitter la chambre. Elle n'alla pas loin : il saisit un pan et s'en servit pour la tirer vers lui.

— Est-ce que ton médecin t'a seulement donné le feu vert pour faire l'amour ? demanda-t-il.

Elle tira sur le tissu qui les reliait, sans résultat.

— Nous n'en avons pas parlé ! s'exclama-t-elle, furieuse.

Et comme il plissait les yeux, sceptique, elle précisa :

— Ce n'est pas comme si j'avais des raisons de demander...

Un rire hystérique lui échappa et elle lui tourna le dos.

— C'est probablement aussi bien que nous n'ayons rien fait.

— Pourquoi pas ? gronda-t-il.

— Une foule de raisons. La première étant que nous sommes en train de divorcer.

— Ce n'est pas l'effet que ça me faisait cet après-midi.

— Non, c'est vrai.

Elle fourragea dans ses cheveux, s'aperçut qu'elle imitait l'un de ses gestes et laissa retomber sa main.

— Mais rien n'est réglé entre nous ! C'est même plus compliqué que jamais !

Les jambes faibles tout à coup, elle s'assit sur le bord du lit.

— Je n'aurais pas dû revenir ici, Matt. C'est cette maison...

Elle regarda autour d'elle et vit la commode d'acajou achetée au marché aux puces qu'ils avaient poncée ensemble, les magnifiques rideaux de brocart doré trouvés dans une vente aux enchères.

— Ça rappelle trop de souvenirs...

Il laissa courir sa main sur son bras, mêla ses doigts aux siens.

— Ils sont tous si mauvais ?

— Non, bien sûr que non. Pas tous.

— Il y avait vraiment quelque chose de spécial entre nous.

Il s'interrompit et elle vit qu'il faisait un effort énorme pour formuler sa pensée. La phrase suivante la prit totalement par surprise.

— Ça pourrait peut-être revenir...

— Non ! s'écria-t-elle, écrasant la fragile pousse d'espoir avant qu'elle pût prendre racine.

Elle connaissait la puissance dévastatrice de l'espoir, si on avait le malheur de le laisser fleurir. C'était trop douloureux, ensuite, de le voir se faner : mieux valait ne pas semer la graine...

— Pourquoi pas ? demanda-t-il. C'est toi qui as cherché à me ramener parmi les vivants, c'est toi qui n'as pas cessé de dire que tu voulais que je fasse partie de ta vie.

— De la vie de Hailey, corrigea-t-elle en luttant contre la panique. Je pensais surtout à des visites pendant l'été,

173

des coups de fil le matin de Noël, un vélo pour son anniversaire. Pas à...

Elle agita la main, incapable de trouver ses mots.

— Pas de sexe ?

— Pas nous deux, ensemble...

Pourtant, c'était bien à leurs corps haletants qu'elle pensait, aux draps emmêlés, au ressort de désir toujours tendu en elle.

— C'est trop tard pour nous ! reprit-elle.

— Qui te l'a dit ?

— Toi ! Tu n'arrêtes pas de le dire !

— Il m'est déjà arrivé de me tromper.

Elle se prit la tête à deux mains.

— Pour l'amour du ciel... Tout ça arrive trop vite.

— A mon avis, nous n'avons que trop traîné.

Son corps entier vibrait comme une corde de guitare. Que dire ? Que faire ? Rien... Car Matt prononçait les mots qu'elle avait tant espéré entendre avant de quitter cette maison, plus d'un an auparavant.

— Reviens à Port Kingston, Caroline. Revenez auprès de moi, toi et Hailey.

Il souleva sa main jusqu'à ses lèvres, lui embrassant la paume. Son cœur battit alors des ailes comme un colibri.

— Je prendrai soin de toi, murmura-t-il d'une voix rauque d'émotion. Tu es ma responsabilité, vous l'êtes toutes les deux. Tu as toujours été ma responsabilité.

Sa responsabilité ? Elle eut l'impression d'encaisser une gifle monumentale. Matt voulut la soutenir mais elle s'arracha à ses mains tendues dans une sorte de vertige. Sa *responsabilité*... Ce mot réveillait tant de vieilles angoisses ! Et ses lèvres tremblaient si fort qu'elle eut du mal à demander :

— C'est ce que nous sommes pour toi, Matt ? Une *responsabilité* ? C'est ce que j'ai toujours été pour toi ?

Elle était si jeune quand Matt était revenu de l'armée, si jeune et si seule… Sa tante était morte l'année précédente et, depuis, elle vivait seule dans la grande maison, luttant pour joindre les deux bouts, tout en essayant de décrocher son diplôme d'éducatrice. Matt avait sans doute eu pitié de la petite orpheline qui craquait autrefois pour lui. Ils avaient fini par faire l'amour près de l'étang, et elle s'était retrouvée enceinte. Honorable comme toujours, il l'avait épousée. Parce qu'elle était… *sa responsabilité*.

Brad, c'était différent. Matt aimait son fils, et aucun garçon n'aurait pu souhaiter un meilleur père. Ils étaient si bien, tous les trois, qu'elle avait fini par se convaincre qu'il l'aimait, elle aussi, et qu'il ne l'avait pas seulement épousée par sens du devoir. Après la mort de Brad, l'attitude de Matt était venue ébranler cette conviction. Ce retrait de sa part, cette façon de ne plus lui parler, de ne plus la voir… Au fond, qui voulait-il en l'épousant ? Elle, ou le bébé qu'elle portait dans son ventre ? Son esprit logique lui répétait qu'elle se trompait, qu'il était seulement bouleversé par la mort de son fils… Un jour, tôt ou tard, Matt se tournerait vers elle dans son chagrin. Ce jour n'était jamais venu. Au contraire, il s'était jeté corps et âme dans son travail, et elle dans une véritable obsession : avoir un autre enfant.

Ce bébé, elle pensait le vouloir pour elle, par besoin d'être mère. Et si elle se trompait ? Si c'était de Matt qu'il s'agissait ? En ayant un autre enfant, cherchait-elle à reconquérir son amour ?

D'ailleurs, c'était bien ce qui se passait. Il apprenait que Hailey était sa fille et, quelque temps plus tard, voilà qu'il lui demandait de revenir. Sans le savoir, il venait de confirmer sa plus grande angoisse. Maintenant, elle en était sûre : Matt l'avait épousée uniquement parce qu'elle portait son enfant, et il lui demandait de revenir pour la même raison. Cette fois, elle refusait de vivre avec lui dans ces conditions.

Lui tournant le dos pour qu'il ne vît pas ce qu'un tel refus lui coûtait, elle déclara :

— Je n'en ai que faire, de ton sens du devoir ! Il y a un an, j'étais encore ta responsabilité, mais j'ai travaillé dur pour me prendre en charge. J'ai créé une vie pour Hailey et pour moi. Nous avons un foyer, un avenir. Je ne renoncerai pas à tous mes projets pour redevenir la « responsabilité » de qui que ce soit.

Et elle le quitta pour la seconde fois.

11.

Très tôt le lendemain matin, Matt sortit en laissant un mot sur la table de la cuisine. Avec Alf pour toute compagnie, il roula vers le centre-ville. Il avait décidé de faire quelques démarches avant de reprendre la route de Sweet Gum durant l'après-midi.

La nuit précédente, il avait eu huit heures d'insomnie pour réfléchir, et il aurait sans doute pu y passer huit années sans voir plus clair dans sa situation. Il demandait à Caroline de revenir partager son foyer et sa vie, et, pour toute réponse, elle l'avait poignardé en plein cœur. Quand il disait qu'elle était sa responsabilité, cela signifiait simplement qu'il l'aimait. Un homme tient à prendre soin de ceux qu'il aime ! Que faire face à une femme aussi déterminée à prendre soin d'elle-même et de leur enfant ?

En s'engageant dans Beaumont Street, il n'avait pas encore trouvé la réponse. La maison où il se rendait se trouvait dans un quartier triste, en passe de devenir sordide. Il commencerait par la tâche la plus difficile et garderait la plus agréable pour la fin. Ce serait le meilleur moyen d'affronter le retour à Sweet Gum.

Il trouva Mme James Hampton chez elle. Le portillon du jardin grinçait, l'étroite façade de brique avait besoin d'un ravalement et les huisseries d'une couche de peinture, mais la petite pelouse était bien soignée et les trois rosiers florissants.

En venant ici, il ne savait pas si elle accepterait de lui parler. Ce fut un soulagement de voir qu'elle l'accueillait sans surprise particulière, et elle le fit entrer tout de suite. Il prit place en face d'elle dans le petit salon, prêt à affronter la tâche difficile de découvrir comment elle s'en sortait. S'il parvenait à s'assurer qu'elle allait bien, ainsi que ses enfants, il se pardonnerait peut-être la mort de James Hampton ; il cesserait de trouver tant de ressemblances entre le destin de cet homme et le sien.

Dès le seuil, il sentit le silence de la maison s'installer en lui. C'était trop calme. Où étaient les enfants ?

— Comment allez-vous, madame Hampton ?

Très droite dans son fauteuil aux accoudoirs décorés de napperons de dentelle, elle semblait avoir vieilli de vingt ans depuis leur dernière rencontre. La lumière de la fenêtre voisine soulignait ses joues creuses.

— Je m'en sors, dit-elle d'une voix douce, un peu absente. Un jour à la fois.

— C'est une bonne chose.

Il s'éclaircit la gorge et prit son courage à deux mains.

— Je tenais à vous dire que j'étais désolé, sincèrement désolé pour ce qui s'est passé.

Il hésita. Il ne savait même pas comment nommer le mort. Son ex-mari ? Tenait-elle à l'entendre dire à quel point il regrettait le sort de cet homme qui la battait et menaçait ses enfants ?

— Désolé que nous n'ayons pu régler le problème sans drame...

— Vous avez déjà dit ça, le jour même.

— Je continue à chercher ce que j'aurais pu dire...

— Vous avez fait ce que vous aviez à faire. Il allait me prendre mes petits.

— Je ne pense pas qu'il voulait réellement leur faire du mal. Il avait juste de la difficulté à renoncer à eux.

— C'étaient ses enfants aussi.

Dans un mouvement presque imperceptible, elle se balançait d'avant en arrière sur son siège.

— Quoi qu'il ait pu faire, il aimait ses enfants.

Cela, Matt n'en doutait pas. En un sens, il était mort pour eux.

— Et eux, comment est-ce qu'ils vont ? Leur thérapie leur fait du bien ?

Avant de quitter Port Kingston, Matt avait demandé au psychologue de la brigade de passer un coup de fil aux Hampton, en insistant bien sur l'importance, pour les enfants, de parler des événements traumatiques qu'ils venaient de vivre. Il avait recommandé un thérapeute et proposé de prendre le premier rendez-vous ; et même, il s'était chargé des honoraires.

— Jazzy a l'air de s'en sortir. Sa psychologue est gentille, elle l'aime bien.

— Voilà une bonne nouvelle.

Elle ne disait plus rien. Sincèrement soulagé pour la petite fille, il se sentit pourtant glacé par ce silence. Avec appréhension, il demanda :

— Et James junior ?

La pauvre femme sembla se faner sous ses yeux. Le balancement devint plus marqué.

— J. J. ne comprend pas ce qui s'est passé. Il ne veut pas comprendre. Il s'est sauvé. Il a pris à la banque l'argent qu'il économisait pour ses études et il est parti dans l'Ouest. C'est tout ce qu'il a dit dans le mot qu'il m'a laissé.

Ses yeux sombres et désolés se levèrent vers lui, et elle expliqua d'une voix tremblante :

— Il a des amis en Californie. Ils ont promis d'appeler s'ils le voyaient.

L'estomac de Matt se révulsa. La chaîne de cause à effet continuait…

— Vous avez prévenu la police ?

— Ils ont ouvert un dossier, dit-elle en hochant vaguement la tête. Ils ont dit qu'ils m'appelleraient, mais je n'ai plus eu de nouvelles.

Avec les milliers d'adolescents en fugue qui hantaient les rues de toutes les grandes villes, on ne pouvait espérer grand-chose de ce côté. La police, c'est bien connu, était débordée.

— Je vais passer quelques coups de fil, dit pourtant Matt. Voir s'il y a un moyen de donner la priorité à cette affaire.

Il la quitta peu de temps après, sachant qu'il ne pouvait rien faire de plus. La paix leur était refusée, à lui comme à la famille Hampton. Remontant dans sa voiture, il se dirigea vers le nord.

Au fur et à mesure qu'il s'éloignait de la côte, les graminées et les palmiers laissaient la place à des prés verts bordés de grands chênes. Juste avant de sortir du comté, il bifurqua sur une petite route, traversa un bosquet de caryocars et passa un portail de fer forgé. Ce chemin lui était très familier, car il l'avait souvent pris, au cours des deux dernières années, pour se rendre dans le seul endroit où il se sentît encore chez lui. En arrivant, il vit tout de suite qu'il ne serait pas seul. Caroline l'attendait sur la tombe de leur fils.

Caroline entendit un véhicule s'arrêter, puis le claquement d'une seule portière. Tout de suite, elle fut certaine que c'était Matt. Se redressant à demi, elle posa le soliflore sur la pierre tombale, un peu de côté pour que le bouton de rose qu'elle avait apporté ne cachât pas le nom. *Matthieu Bradley Burkett.*

Puis elle se remit sur pied, souleva Hailey dans son porte-bébé, et se retourna pour regarder son mari en face. Elle ne distinguait pas bien son expression, mais son état d'esprit se lisait dans toute son attitude. Cette façon de marcher, lente et méfiante… Il se sentait blessé, il lui en voulait, et il était déterminé à ne pas le montrer.

Quand il retira ses lunettes de soleil, ses yeux étaient aussi durs que des pierres vertes.

— C'est ce qui m'ennuie le plus dans le fait d'habiter aussi loin, dit-elle en guise de salut. Je ne peux pas lui rendre visite.

Le visage de Matt ne changea pas.

— Je t'ai proposé une solution à ce problème.

— Je ne peux pas rester, Matt…

— Tu ne *veux* pas rester, ce n'est pas la même chose.

— Tu ne veux pas vraiment de moi. Tu t'es juste laissé emporter par l'émotion du mariage, le fait de retrouver toute la famille… de nous retrouver ensemble dans la maison. Moi aussi.

Un sourire mince, plus ironique que réellement amusé, anima le masque de marbre qui lui faisait face.

— Je dois vraiment perdre la main, si tu as pu penser que je n'avais pas envie de toi.

Au souvenir de cette flambée de passion dans le grand lit qu'ils partageaient autrefois, elle sentit ses joues s'enflammer. Désir, nostalgie, un écho de ce qu'elle avait ressenti autrefois… Cette réaction était naturelle, décida-t-elle, aussi inévitable que leur réaction quand ils se retrouvaient ensemble. Une année de séparation n'efface pas quinze ans de mariage : leurs corps restaient accordés malgré eux.

— Avoir envie de faire l'amour, ce n'est pas la même chose que de vouloir partager sa vie, Matt.

— Et si je te dis que je veux les deux ?

— Si je croyais ça, rien ne pourrait me pousser à partir.

Il arracha ses lunettes, les fourra dans la poche de sa chemise et marcha droit sur elle, la dominant de toute sa haute taille.

— Qu'est-ce qu'il faut que je fasse pour que tu le croies ? Que je te fasse l'amour sans préservatif ? C'est ce que tu veux ? Parfait, alors faisons-le !

Il tendit les mains vers elle et elle recula d'un pas, effrayée.

— Matt, je t'en prie ! Ne sois pas comme ça, pas ici.

— Pourquoi pas ? La tombe de notre fils, ce serait l'endroit idéal ! Il n'y a personne pour nous voir.

Il fit encore un pas vers elle.

— Arrête ! cria-t-elle.

Il lui saisit le poignet pour la retenir, mais elle se dégagea d'une secousse. Affolée, elle scruta son visage en cherchant à comprendre ce qui se passait. Ce n'était pas l'homme qu'elle connaissait : Matt n'avait pas ces yeux impitoyables. Elle recula encore.

— Qu'est-ce que tu cherches à faire ?

— J'essaie juste de comprendre ce que tu attends de moi, Caroline.

— Je veux que tu arrêtes tout de suite.

— Non, tu veux autre chose. Allez, dis-moi ce que tu veux vraiment.

— Je veux que tu m'aimes ! s'écria-t-elle, furieuse. Pas parce que c'est ce que ta famille attend de toi, ou parce que nous avons un bébé à élever. Pas parce que je suis une « responsabilité » que tu dois endosser, une obligation, comme de payer tes impôts ou tondre ta pelouse. Je veux que tu m'aimes pour *moi*.

Le vernis dur et brillant des yeux de Matt s'évanouit.

— Je t'ai toujours aimée, répliqua-t-il, abasourdi. Tu dois bien le savoir.

Non, elle ne savait rien de la sorte ! Elle savait seulement qu'elle avait peur, que Hailey pleurait et qu'elle voulait s'en aller d'ici. Il lui fallait réfléchir.

— J'aimerais le savoir, Matt, objecta-t-elle en passant très vite devant lui. J'aimerais *vraiment* le savoir.

Malgré ses protestations, elle l'avait laissé à Port Kingston. Mieux valait trancher net ; et d'ailleurs, elle n'avait plus besoin de lui ni de sa protection. Pourtant, sur ce dernier point au moins, quand elle se retrouva seule dans la maison vide avec son bébé, elle n'en fut plus si sûre.

Sans doute consciente de son inquiétude, Hailey dormait d'un sommeil troublé ou s'agitait nerveusement dans ses bras. Caroline ne parvenait pas à se résoudre à la poser dans son berceau ; car alors, elle serait tout à fait seule, et cela, elle ne le voulait à aucun prix.

Afin de se changer les idées, pour se donner un objectif, elle prit rendez-vous pour rendre visite aux jumelles de Gem. On lui demanda de venir juste avant le dîner. Cela signifiait qu'elle devait trouver à s'occuper pendant des heures, tout l'après-midi ! Qu'allait-elle pouvoir faire ?

La sonnerie de la porte les fit sursauter toutes deux. En allant ouvrir, elle fut enchantée de trouver Savannah sur le seuil. Tout heureuse, elle tomba dans les bras de son amie, l'embrassa avec une effusion inhabituelle avant de se diriger joyeusement vers la cuisine pour faire leur tisane préférée. Savannah la suivit, posant au passage son sac dans le bureau.

Bientôt, elles s'installèrent dans le living avec leurs tasses. Jeb avait disparu dans la nouvelle salle de jeux et Hailey, allongée sur une couverture aux pieds de sa mère, agitait avec entrain un trousseau de clés en plastique. La vie reprenait son cours.

— C'était dur, alors ? demanda Savannah.

— Dans un sens, c'était tout le contraire. Ce serait très facile de retomber dans l'ancienne routine.

Buvant une gorgée de tisane, elle répéta, pensive :

— Beaucoup trop facile…

— Et ça te trouble, dit son amie, sur le ton d'un constat plutôt que d'une question.

— Oui, répondit Caroline. Je croyais avoir laissé cette partie de ma vie derrière moi, je croyais avoir accepté le fait que c'était terminé. Tu m'avais aidée à le faire.

— Moi ? dit Savannah en haussant un sourcil altier.

— Tu m'as aidée à me tourner vers l'avenir plutôt que vers le passé. Tu m'as encouragée à monter ma propre affaire, à me construire un vrai foyer ici. Tu m'as dit de décider ce que je voulais vraiment, puis de me donner les moyens de l'obtenir.

— Et cette affaire et cette maison… c'est tout ce que tu attends de la vie ?

La question prit Caroline par surprise. Elle avait investi tant d'énergie dans ses projets qu'il n'y avait plus eu de temps pour penser à autre chose. A part Hailey, bien sûr. Hailey passerait toujours en premier. Son amour des enfants mis à part, Hailey était la raison pour laquelle

elle voulait créer une crèche. Pour travailler chez elle, auprès de son bébé.

— Ça me suffira, dit-elle à Savannah.

— Tu comptes rester seule le restant de tes jours ?

— Je ne suis pas seule, j'ai Hailey.

— Ma grande, Hailey est une excellente compagnie, mais ce n'est pas un homme.

D'un mouvement brusque, elle se pencha vers Caroline.

— Tu aimes Matt ? demanda-t-elle.

Caroline lui sourit avec tristesse.

— Je l'aime depuis l'année de mes quinze ans.

Sautant sur ses pieds, elle se dirigea vers la fenêtre. Dehors, deux geais bleus jouaient à se poursuivre entre les branches basses d'un *mesquite*. Sans doute un couple attiré l'un vers l'autre par l'instinct, comme elle se sentait aimantée par Matt. A cela près qu'elle était un être doué de raison, pas un oiseau ; quelle que fût la force de ses pulsions, son intellect contrôlait son instinct animal.

— Je n'ai pas besoin d'un homme, ajouta-t-elle.

— Ça dépend de ce qu'on entend par « besoin ».

— Qu'est-ce que tu veux dire ?

Son cœur se mit à battre plus vite. Plusieurs fois déjà, Savannah l'avait aidée à regarder en face des vérités désagréables. Apparemment, elle s'apprêtait à lui donner une nouvelle leçon.

Se levant à son tour, son amie vint la rejoindre.

— Il y a une différence entre le fait d'avoir besoin d'un homme — n'importe quel homme — parce que tu es incapable de vivre seule, et le fait d'avoir besoin d'un homme en particulier, parce qu'avec lui ta vie est plus riche et plus complète.

— Tu crois que ma vie est plus riche quand Matt en fait partie ?

— Je ne sais pas, répondit Savannah. Parle-moi de ton voyage à Port Kingston.

Elles retournèrent s'asseoir sur le canapé. Tête basse, coudes sur les genoux, Caroline tenta de rassembler ses idées.

— Il m'a demandé de rester. Avec lui.

Cette fois, Savannah eut l'air surprise.

— Mais tu es revenue ici.

— Je dois penser à Hailey. Je ne peux pas l'élever auprès d'un père qui ne veut pas d'elle.

— Il a dit qu'il ne voulait pas d'elle ?

— Il a dit que nous étions sa *responsabilité*, énonça-t-elle, sans cacher l'amertume que ce mot soulevait en elle.

— D'après ce que j'ai vu de Matt, c'est un homme très responsable.

Le silence retomba. Savannah se concentrait sur sa tisane, et Caroline eut l'impression qu'elle lui laissait le temps de réfléchir. Au bout de quelques secondes, elle ajouta pourtant :

— Un homme comme lui va obligatoirement se sentir responsable de ceux qu'il aime.

Caroline se redressa avec raideur.

— Alors, tu penses que j'aurais dû rester ?

— Non. Mais laisse-moi te donner un sujet de réflexion.

Caroline se raidit encore plus. A l'époque où Savannah la suivait en thérapie, ses « travaux dirigés » lui avaient causé bien des bouleversements… et autant d'occasions de progresser. Son amie lui avait appris à méditer, à poser des questions au fond d'elle-même et à s'ouvrir aux réponses, même si elles n'étaient pas faciles à accepter. Elle avait le sentiment que celle-ci serait particulièrement difficile.

— Au fond, tu doutes de l'amour de Matt, ou du tien ?

Non, il n'était pas mort. Au contraire, il recommençait tout juste à vivre, et maintenant il avait deux options. Il pouvait continuer sa remontée vers la lumière, avec toute la souffrance et les difficultés que cela impliquait, ou il pouvait renoncer. Ramper dans son trou, reprendre son existence misérable en prétendant que le travail suffisait à remplir une vie.

Ce nouveau souffle encore fragile qui se levait au fond de lui s'éteindrait peut-être. Blessé comme il l'était, il serait peut-être trop faible pour s'en sortir. Pourtant, il devait essayer.

Une dernière démarche à Port Kingston, et il irait à Sweet Gum, que Caroline le voulût ou non. Si elle refusait de lui ouvrir sa porte, il louerait de nouveau sa chambre chez les Johnson. Si elle refusait de l'écouter, il ne dirait rien ; il se contenterait d'être là, pour elle et pour sa fille. Tôt ou tard, elle découvrirait qu'elle pouvait lui faire confiance, et elle accepterait de croire à son amour.

Une heure plus tard, il posa la petite chienne labrador qu'il venait de choisir pour Jeb sur le siège voisin, et reprit le volant de son 4x4. Sur le siège arrière, Alf examinait la nouvelle venue avec méfiance.

— Gentil, ordonna Matt en voyant dans le rétroviseur son partenaire se lécher les babines. C'est une copine, pas ton déjeuner.

L'air vaguement déçu, Alf soupira et se laissa tomber sur la banquette, le museau posé sur le rebord de la vitre pour regarder défiler le paysage.

Matt s'engagea sur l'autoroute. Ils roulaient à une vitesse constante, le moteur parfaitement réglé ronronnait, les kilomètres défilaient. Bientôt, le chiot rampa par-dessus le levier de vitesse et essaya timidement de se glisser sur ses genoux. En voulant le repousser, il fit l'erreur de plonger son regard dans les grands yeux expressifs. Il se tassa sur lui-même, suppliant ; vaincu, Matt passa doucement la main sur son dos et, au lieu de le remettre à sa place, il l'attira plus près.

— Tout va bien, petite fille. Tu n'as pas à avoir peur. Je t'emmène à ta nouvelle maison.

Un nouveau frisson secoua le petit corps tiède et Matt soupira.

— Je sais, je sais. Tu te trouvais très bien avec tes frères et sœurs, et tu voudrais rentrer les retrouver. Mais tu verras, tu vas avoir une nouvelle famille.

Presque comme si elle comprenait ses paroles, la petite chienne cligna ses yeux doux et se blottit plus étroitement contre lui.

— J'ai la frousse aussi, si tu veux savoir, dit-il en passant la main sur sa petite tête soyeuse. C'est comme ça, quand on entre dans une nouvelle famille… Tu penses que l'ancienne valait mieux, que personne ne pourra t'aimer comme eux et que tu ne pourras jamais les aimer de la même façon. Mais c'est possible, tu sais.

L'espoir devait lui donner des ailes, car la route de Sweet Gum lui sembla très courte. Malgré deux arrêts pour la petite chienne, il atteignit le bourg avant la nuit. Sifflotant, il bifurqua vers la campagne, s'engagea dans le chemin de terre menant à la maison de Caroline et

leva les yeux vers son objectif, perché sur sa colline. La
mélodie s'éteignit abruptement sur ses lèvres : il resta
bouche ouverte, sans souffle. En haut de la butte, une
colonne de fumée noire s'élevait dans le ciel paisible du
soir. Des gyrophares rouges, jaunes et bleus clignotaient
agressivement. Des hommes casqués et harnachés de cuir
couraient comme des fourmis.

Non... Pas ça... Pas un incendie !

12.

Perchée sur le banc étroit à l'arrière de l'ambulance, Caroline serrait la main de Savannah entre les siennes.

— Tu vas t'en sortir, répétait-elle à son amie inconsciente. Ne t'en fais pas pour Jeb, je m'occuperai de lui jusqu'à ce que tu sois sur pied. Ne t'inquiète de rien, tout ira bien.

Une jeune femme sévère en blouse blanche, l'insigne des urgences sur le sein gauche, appliqua un masque transparent sur le visage immobile de son amie. Caroline se fit toute petite en s'efforçant de ne pas la gêner dans ses gestes ; elle avait déjà de la chance qu'on l'eût autorisée à monter dans l'ambulance. D'ailleurs, elle ne s'était pas laissé repousser : Savannah était là par sa faute ! Caroline lui avait demandé de garder Hailey pendant qu'elle rendait visite aux jumelles.

— Tu vas t'en sortir, répéta-t-elle fermement.

Pourvu que ce soit vrai, mon Dieu, faites que ce soit vrai !

A l'extérieur du véhicule, à travers le brouhaha, une voix d'homme criait :

— Caroline !

Elle reconnut la voix de Matt, mais il avait une intonation qu'elle n'avait encore jamais entendue. L'homme aux nerfs d'acier était-il en train de paniquer ?

— Caroline !

Vite, elle pressa la main flasque de Savannah sur ses lèvres pour un baiser rapide et murmura :

— Je reviens.

Puis elle se glissa jusqu'aux portes arrière de l'ambulance. Ses pieds avaient à peine touché le sol qu'il la soulevait dans une étreinte brutale.

— Oh, Seigneur...

La voix de Matt tremblait à son oreille, et elle sentait les battements désordonnés de son cœur. Il la posa sur ses pieds, se penchant pour scruter son visage.

— Tu n'as rien ? Tu étais dans la maison ? Qu'est-ce qui s'est passé ? Et Hailey ? Où est Hailey ?

Il s'arrêta, le souffle court, et elle put enfin répondre :

— Hailey va bien, je vais bien. Je n'étais pas là mais...

Les yeux mouillés tout à coup, elle montra l'ambulance.

— Savannah...

Les larmes l'aveuglaient. Elle ne voyait plus rien, mais elle sentait Matt l'attirer contre lui, presser sa joue sur ses cheveux avec une sorte de violence.

— Je suis désolé...

— Je suis allée rendre visite aux jumelles, mais elles n'étaient pas là ! sanglota-t-elle.

— Comment, elles n'étaient pas là ? Où sont-elles, alors ?

— Elles ont disparu. Quelqu'un les a emmenées. On pense que c'est Gem elle-même. Je sentais bien qu'il se passait quelque chose d'anormal... Je suis rentrée tout droit à la maison, mais...

Sa voix s'étrangla, et elle s'accrocha au polo de Matt en sanglotant.

— Les Johnson avaient déjà vu la fumée... Les pompiers étaient en route. Ils ont trouvé Jeb et Hailey devant la maison, mais Savannah...

— Chut... Tout va s'arranger.

— Elle a fait sortir les petits, bredouilla-t-elle, et puis elle a dû retourner à l'intérieur, je ne sais pas pourquoi. Peut-être pour essayer d'éteindre le feu.

Ses genoux fléchirent et les bras solides de Matt la soutinrent.

— C'est grave ? demanda-t-il.

— Elle est inconsciente. Un choc à la tête, et puis la fumée...

Il resserra son étreinte.

— Elle se remettra, tu verras. Une femme comme elle n'abandonne jamais.

Il avait raison : Savannah avait déjà surmonté des épreuves terribles. Mais quand on la voyait allongée là comme une poupée brisée...

— Pardon, intervint sèchement un membre de l'équipe médicale.

Matt s'écarta un peu pour les laisser face à face, sans cesser de la soutenir.

— Nous sommes prêts à y aller. Vous pouvez nous suivre si vous le souhaitez. Les médecins auront besoin d'informations à son sujet.

— Je monte auprès de Savannah, dit-elle.

— Je suis désolé, le règlement...

— Je me fiche de votre...

Elle esquissa un mouvement vers l'ambulance, mais Matt la retint.

— Je vais t'emmener.

— Non. Je reste auprès de Savannah ! protesta-t-elle en se débattant.

— Caroline !

Sans la lâcher, il jeta un regard vers les Johnson, qui se tenaient un peu plus loin avec Jeb et Hailey.

— Prends un petit moment pour eux. Pour l'instant, ils ont davantage besoin de toi que Savannah.

Elle hésita un instant, sachant qu'il avait raison, incapable de renoncer aussi vite à son idée fixe. Jeb devait être terrorisé. Il fallait le rassurer.

— Oui, dit-elle plus calmement. D'accord... Ça va aller.

Matt hocha abruptement la tête vers l'homme en blouse blanche.

— Nous serons juste derrière vous.

Ensemble, ils allèrent échanger quelques mots avec les Johnson, prirent les enfants et se dirigèrent vers le 4x4. En bouclant Jeb à sa place, Matt souleva la petite boule de poils blonds toujours tapie sur la banquette avant.

— Tu veux bien la tenir pendant le trajet ? demanda-t-il en la posant sur les genoux du garçon.

Hésitantes, les mains de Jeb palpèrent le petit animal. Matt se glissa derrière le volant et démarra avec un demi-sourire.

— C'est un... un chien ? demanda la voix du garçon. Mais il est tout petit !

— C'est un bébé, une petite chienne.

— Tu as eu un chiot ? demanda Caroline d'une voix joyeuse.

Le visage de Jeb se plissa, de nouvelles larmes coulèrent sur les traces des anciennes.

— Maman m'avait dit que je pourrais avoir un chiot un jour.

— Tu en as un tout de suite, dit Matt en passant la marche arrière pour manœuvrer autour d'un camion de pompiers. Elle est à toi.

Jeb en resta bouche bée.

— A moi ? répéta-t-il.

— Oui.

Ils dévalèrent le chemin de gravier à quelques centaines de mètres seulement derrière l'ambulance.

— Dis donc, il lui faut un nom ! Comment est-ce que tu vas l'appeler ?

Pendant tout le trajet, Matt ne cessa de parler à Jeb, lançant des propositions de noms, pesant le pour et le contre — mais ses yeux ne quittèrent pas un seul instant la route, et l'ambulance qui les guidait vers l'hôpital du comté. Emue, Caroline le laissait faire en silence, et c'était extraordinaire de voir le petit se passionner pour cette discussion, en oubliant son inquiétude pour sa mère.

Dans le même temps, elle commençait à se poser des questions. Pourquoi Matt était-il ici ? En quittant Port Kingston, elle ne s'attendait pas à ce qu'il la suive, et pourtant il était là, avec une grosse valise dans le coffre et un chiot pour Jeb. Pourquoi était-il venu ?

— Je crois que c'est le bon, s'écria-t-il, enthousiaste. Qu'est-ce que tu en penses, Caroline ?

— Hein ? Quoi ?

— Jeb a trouvé un nom formidable pour sa chienne. Annie !

— Annie.

Elle se retourna pour sourire à l'enfant, sachant qu'il entendrait son sourire dans sa voix.

— Annie, c'est un nom magnifique !

*
**

194

Le cœur de Matt se serra. Ils campaient dans la salle d'attente depuis trois heures, sans nouvelles. Ils savaient seulement que Savannah n'avait pas encore repris connaissance. Les médecins attendaient le résultat de l'IRM.

Matt respira à fond et frotta doucement le dos du petit garçon.

— Ta maman aussi voudrait être avec toi, mais il faut qu'elle reste avec les docteurs.

— Elle va mourir ?

La pression dans la poitrine de Matt se fit plus douloureuse. Les petits garçons ne devraient pas en savoir autant sur la mort, mais on ne ment pas à un enfant. Ecartelé entre deux nécessités contradictoires — réconforter le petit et le préparer à ce qui pourrait arriver –, il hésita, et finit par décider que la vérité pourrait attendre.

— Tu sais, dit-il en choisissant bien ses mots, les médecins ont beaucoup d'équipement spécial et de médicaments pour guérir les gens.

— Oui… Mais est-ce qu'elle va mourir ?

Jeb était comme ces petits animaux qui ne renoncent jamais à une proie, tant qu'on ne leur en propose pas une autre.

— Tu sais ce qui s'est passé à la maison ? demanda-t-il. Comment l'incendie a-t-il commencé ?

Caroline le foudroya du regard mais il décida de ne pas en tenir compte. Jeb renifla, pensif.

— Je faisais ma sieste.

Il réfléchit un instant et précisa :

— En fait, je suis trop grand pour faire des siestes mais maman m'a demandé de m'allonger un peu pour tenir compagnie à Hailey.

— Je comprends. Et ensuite ?

Incapable de tenir en place, Caroline se mit à marcher de long en large, Hailey sur son épaule. Elle se sentait déchirée. D'un côté, elle voulait que Matt se tût et changeât de sujet ; de l'autre, elle comprenait que Jeb pouvait livrer des informations essentielles.

Matt attendait, fixant sur l'enfant un regard attentif, empli de tendresse. Les doigts de Jeb se mirent à s'agiter, se nouant et se dénouant convulsivement.

— J'ai entendu crier maman...

— Elle t'appelait ?

— Non, elle parlait à quelqu'un. Elle était en colère, elle disait : « Dehors ! » Quelqu'un lui faisait du mal. J'ai voulu descendre, mais...

Sa lèvre inférieure se mit à trembler.

— J'ai eu peur, avoua-t-il en chuchotant presque. J'ai cru que c'était mon papa.

Matt poussa un soupir.

— Ne t'en fais pas. Tout le monde a peur. Moi, ça m'arrive d'avoir peur quand je cours après les méchants. Maintenant, tu peux m'aider en me disant tout ce qui s'est passé, pour que je puisse trouver celui qui a fait du mal à ta maman. D'accord ?

Jeb leva vers lui ses grands yeux aveugles.

— D'accord.

Matt chercha à éclaircir sa gorge nouée par l'émotion.

— Qu'est-ce qui t'a fait penser que c'était peut-être ton père ? Tu as entendu une voix d'homme ?

Jeb pencha la tête sur le côté pour réfléchir.

— Non, juste maman. Et puis, des pas qui couraient. Je...

Il tourna la tête vers Caroline, et elle se hâta de venir s'accroupir près de lui, gênée dans ses mouvements par

Hailey, qui s'était endormie sur son épaule comme une poupée de chiffon. Quand elle lui tint la main, il avoua tout bas, comme s'il avait honte :

— J'ai pris Hailey et je me suis caché sous le lit. Les bruits se sont arrêtés et j'ai cru qu'ils étaient partis, mais au bout d'un moment, j'ai senti la fumée.

Jeb frémit. Matt voyait presque les flammes se refléter dans ses yeux morts.

— Alors, j'ai repris Hailey et je suis allé vers la porte...

— Tu as voulu emmener Hailey avec toi ? demanda Matt, abasourdi.

Jeb hocha machinalement la tête, comme si tous les garçons de son âge, dans la même situation, auraient eu la présence d'esprit de sauver un bébé.

— Mais je savais plus par où aller. Je savais pas où était le feu...

Il se tut. Attirant sa tête contre son épaule, Caroline le berça en murmurant des petits mots tendres à son oreille.

— Chut... Ça va, maintenant, c'est fini. Tu as été très courageux.

Matt posa doucement la main sur la tête du garçon.

— Une dernière question, d'accord ? demanda-t-il, autant à Caroline qu'à Jeb.

Ils échangèrent un regard par-dessus la tête de Jeb, et elle hocha la tête à contrecœur.

— Comment es-tu sorti de la maison ?

Le garçon releva la tête, les yeux fixés sur le vide.

— Quelqu'un m'a attrapé et porté dehors. Tous les deux, Hailey et moi.

Interdits, les deux adultes échangèrent un nouveau regard.

— Mais qui ? demanda Matt.

Jeb haussa les épaules.

— J'sais pas. Ils ont rien dit.

Cela signifiait donc que le pyromane savait que Jeb était aveugle ! Qu'il comprenait que, tant que le garçon n'entendait rien, il ne pourrait identifier son sauveteur ! Voilà qui écartait l'hypothèse d'un cambriolage qui aurait mal tourné. D'ailleurs, Matt n'avait jamais sérieusement envisagé cette possibilité ; la personne en question connaissait les lieux, il connaissait Jeb, et il en voulait suffisamment à Savannah pour la laisser dans une maison en flammes. Sans vouloir pour autant que des enfants innocents eussent à souffrir de sa vengeance. Qui correspondait à tous ces critères ?

Gem Millholland...

Il avait tenu sa promesse de rester auprès de Jeb pendant que celui-ci s'endormait. Il aurait certes pu partir, mais le fait de rester là, à monter la garde, le rassérénait un peu. Cela faisait trop longtemps qu'il n'avait plus personne auprès de qui monter la garde. Il ne voulait pas que le garçon se réveillât tout seul dans une chambre inconnue, inquiet pour sa mère. Savannah n'avait toujours pas repris connaissance.

Il était temps d'aller voir Caroline. Sans bruit, il se leva, sortit délicatement la main de Jeb de la niche improvisée de la petite chienne et la mit sous la couverture. Ensuite, il lui sembla parfaitement naturel de se pencher pour déposer un baiser léger sur le front du petit. Cela aussi, c'était un geste très familier, apaisant malgré les souvenirs doux-amers qu'il réveillait. De tout ce qu'il avait perdu à la mort de son fils, c'étaient les choses simples, tels les baisers du soir, qui lui manquaient le plus.

A contrecœur, il quitta la chambre de Jeb et vit qu'il y avait encore un rai de lumière sous la porte de Caroline. Indécis, il s'arrêta. Il avait beaucoup de choses à lui dire, beaucoup de questions à lui poser, mais il ne pouvait le faire maintenant, alors qu'elle était si inquiète pour Savannah. Elle aurait suffisamment de choses à affronter, dans les jours à venir, sans se sentir harcelée par un mari qui, à son avis, ne voulait pas d'elle et ne l'aimait pas.

Pour l'amour du ciel, comment pouvait-elle penser qu'il ne l'aimait pas ?

Parce qu'il avait oublié de le lui dire... C'était sans doute aussi simple que ça. Trop happé par son propre chagrin, il n'avait pas tenu compte du sien.

Il voulut battre en retraite mais, presque malgré lui, il poussa la porte de Caroline. Comme dans un film au ralenti, le battant s'écarta, la lumière se répandit dans le couloir, et il découvrit sa femme, assise au bord d'un vieux lit de fer, Hailey endormie dans ses bras. La lumière douce de la lampe de chevet l'enveloppait d'un halo doré.

— J'aurais pu la perdre, Matt, murmura-t-elle sans relever la tête.

Sa voix tremblait, ses lèvres aussi.

— J'ai failli la perdre.

Les doigts de Matt se crispèrent sur le chambranle. Lui aussi aurait pu perdre un enfant aujourd'hui. Il aurait même pu les perdre toutes les deux, si Caroline s'était trouvée dans la maison à la place de Savannah. Cette idée s'installa en lui et il se demanda comment il pourrait jamais dormir de nouveau sans cauchemars.

— Finalement, c'est toi qui avais raison, reprit-elle.

Sa voix était indifférente tout à coup, résignée. C'était la logique qui parlait : il manquait la sincérité de l'émotion.

— Je n'aurais pas dû désirer un autre enfant. Après ce qu'on a enduré avec Brad, j'aurais dû comprendre la leçon. Elever un enfant, c'est trop risqué. Ça fait trop mal.

Elle se leva et, d'un pas mal assuré, alla poser Hailey dans le beau berceau ancien des Johnson. Enfin, elle releva la tête et la lampe illumina ses yeux dorés.

— Si je perdais un autre enfant, je ne pourrais pas le supporter.

Matt ferma les yeux. Il était terrible de la voir ainsi, à bout, les épaules voûtées et la tête basse. Elle avait toujours été si forte ! Et pourtant, il ne savait sincèrement pas s'il pourrait l'aider. Etait-il capable de prononcer les mots qu'elle avait besoin d'entendre ? De lui dire qu'il s'était trompé, que la venue de Hailey était un événement heureux — que l'amour qu'ils lui vouaient, l'un et l'autre, valait qu'on prît tous les risques ?

Comment dire ces choses alors qu'il venait de passer un an à les nier ? Comment lui dire que tout irait bien, qu'ils ne perdraient pas Hailey comme ils avaient perdu leur fils, quand il n'était pas sûr de le croire lui-même ? Il devait sortir d'ici, il n'était pas à sa place. Caroline avait besoin de réconfort, et il n'avait rien à lui offrir. Mais il ne pouvait s'en aller : le besoin de soulager sa souffrance l'attirait vers elle alors même que son bon sens lui criait de partir. A défaut de la rassurer, il pouvait au moins lui tenir compagnie dans son désespoir.

Il s'avança derrière elle, et ouvrit les bras. Au même moment, elle se retourna et son geste de soutien se transforma en une étreinte intime, poitrine contre poitrine, hanches contre hanches. Son parfum frais de vanille se glissa en lui.

— Tu ne l'as pas perdue, dit-il en resserrant son étreinte. *Nous ne l'avons pas perdue.*

Elle frotta sa joue contre son épaule.

— Non. Mais Savannah… Oh, Savannah…

— Ne renonce pas trop vite. Les médecins font tout ce qu'ils peuvent pour elle, et elle est très solide.

— Oui, mais ça aurait dû être moi !

A cette seule idée, sa poitrine s'embrasa. Il retrouva la panique éprouvée lorsqu'il avait cherché Caroline devant la maison en feu. Pouvait-elle sentir son cœur s'emballer ? Savait-elle quel poids il avait sur la conscience ?

— Je sais bien que je ne suis qu'un pauvre type, mais quand j'ai vu que c'était elle, dans l'ambulance, et pas toi, c'était le plus gros soulagement de ma vie…

Il la sentit relever la tête et hésita un instant à la regarder en face, redoutant un regard accusateur. Dans ses yeux, il ne trouva qu'une compréhension limpide.

— Tu n'es pas un pauvre type pour autant.

— Je ne suis pas non plus un saint.

— Non. Juste un être humain.

Oui, elle avait raison : il était humain, avec toutes les faiblesses que cela implique. Entré dans cette pièce pour lui offrir un réconfort, il puisait son propre réconfort chez elle. Et maintenant, humain comme il l'était, il commençait à vouloir plus encore. A la vouloir, elle… En plongeant son regard dans ses yeux d'ambre, il crut y lire le miroir de son désir. La serrant plus étroitement contre lui, il murmura :

— Laisse-moi rester avec toi ce soir.

Les pensées de Caroline se brouillèrent, telle une radio qui capte mal une émission. Un instant, elle fut tentée de se laisser faire sans réfléchir, sans avoir à prendre de décision.

— Non, réussit-elle à dire.

— Tu as besoin de moi, ce soir.

— J'ai toujours eu besoin de toi, et tu as toujours été là. C'est bien le problème. Je n'ai jamais appris à me débrouiller par moi-même. Cette année, j'ai enfin réussi...

— Tu te trompes. Tu t'es toujours débrouillée par toi-même, et tu as pris soin de moi, de Brad, et de tous ceux qui faisaient partie de ta vie.

L'émission redevint claire un instant. Les paroles de Matt, avec leur sincérité évidente, la prirent de court. Elle n'avait jamais vu sa vie de cette façon ! Oui, elle était heureuse avec Matt avant de perdre Brad, mais quand elle pensait à cette époque, elle se voyait comme une femme au foyer, une mère qui laisse ses rêves de côté pour élever son enfant. Le sens de sa propre valeur, elle le puisait uniquement dans la tendresse de son mari.

— *Elle savait*, dit-elle tout à coup, le visage caché contre l'épaule de Matt.

— Quoi ?

— Savannah... Elle m'a dit quelque chose, avant l'incendie.

Elle entendait encore son amie lui demander : « Tu doutes de l'amour de Matt, ou du tien ? » Mais cela, elle ne pouvait pas le dire...

Elle ne savait plus où elle en était. Au fil des épreuves endurées depuis un an, elle avait découvert qu'elle pouvait se prendre en charge, prendre en charge son enfant. Souhaitait-elle redevenir la femme, l'épouse qu'elle était auparavant ? Non, elle ne le voulait pas, et ne le pourrait pas... Mais cela ne lui interdisait pas un retour vers le passé, juste pour une nuit.

202

Ses paumes se mirent à explorer la poitrine massive à laquelle elle s'appuyait, elle sentit la puissance de ses muscles, la solidité de ses épaules.

— Oui, j'ai besoin de toi. Je voudrais que ce ne soit pas vrai, mais en ce moment, j'ai besoin de toi.

Il aspira une grande bouffée d'air. Sans lui laisser le temps d'ajouter un mot, il la souleva entre ses bras et traversa la petite chambre pour pousser le verrou.

Dans un sursaut de panique, elle voulut leur laisser une porte de sortie, chercha un dernier prétexte qui leur permît de changer d'avis.

— Le fait de faire l'amour ne changera pas l'avenir, murmura-t-elle. Ni le passé.

— Peut-être bien que non, répliqua-t-il. Mais le présent au moins sera plus supportable.

Sur cela au moins, ils étaient d'accord !

13.

Matt étendit Caroline sur le lit et lui retira ses vêtements, s'attardant sur chaque bouton, la découvrant avec
une lenteur infinie. Au lieu de rester passive comme elle
l'aurait fait autrefois, elle se redressa à demi, déboutonna
la chemise de Matt, la rabattit de ses épaules, la fit sortir de sa ceinture. Dans un froissement, le vêtement de
coton glissa sur le sol ; elle s'attaqua alors à la boucle de
sa ceinture. Il l'aida à la défaire et, dans une bouffée de
fièvre, se débarrassa de son jean tandis qu'elle se tortillait
pour retirer le sien.

Dès qu'il fut nu, il la renversa sur l'étroit lit de fer et
la couvrit de son corps. Les ressorts protestèrent, sa peau
douce trembla au contact de la sienne et son souffle se
précipita. Ebloui, il se souleva sur les coudes pour mieux
la voir.

— Tu es aussi belle que la première fois que nous avons
fait l'amour...

— Ça fait longtemps que je ne suis plus une petite
vierge.

— On attache beaucoup trop d'importance à la virginité,
murmura-t-il, souriant de la voir rosir.

Du bout des doigts, il caressa sa clavicule, puis descendit
vers ses seins lourds.

— Moi, je choisirais à tous les coups une femme qui connaît quelque chose au corps humain.

Certaines femmes étaient comme le vin, elles se bonifiaient avec les années. La silhouette de Caroline s'était modifiée avec le temps, mais ces changements ne l'affectaient pas, bien au contraire : en perdant sa finesse anguleuse, elle avait gagné une solidité, une sensualité à laquelle une femme plus jeune ne pouvait prétendre. Son nouveau corps s'était forgé dans le creuset du deuil et de la maternité.

— Même si cette femme t'a quitté deux fois ? demanda-t-elle. Même si elle a un enfant ?

Matt se raidit. Pourtant, il parvint à répondre :

— Si cette femme se trouve être ma femme.

— Pourquoi es-tu revenu ? chuchota-t-elle.

— Je suis venu pour toi. Pour nous.

Il ne savait pas expliquer sa quête autrement ; il ne la comprenait pas lui-même.

— J'ai besoin de savoir ce qu'est devenu cet amour que nous avions l'un pour l'autre. S'il est toujours vivant ou si…

Doucement, il passa la main sur sa joue et acheva :

—… ou si ce n'est qu'un vieux fantôme qui revient me hanter.

— Oh, Matt…

Levant les mains vers son visage, elle se pressa contre lui. Le frottement de sa peau douce contre la sienne était tellement délicieux que les mots ne lui venaient plus qu'avec peine.

— Embrasse-moi, Caroline, dit-il dans un halètement. Embrasse-moi, ou dis-moi de m'en aller. C'est toi qui décides.

Elle glissa les mains dans ses cheveux, puis les saisit à pleines mains. Le cœur battant douloureusement dans sa poitrine, il attendit sa décision. Si elle lui demandait de partir, en serait-il vraiment capable ?

A son grand soulagement, elle souleva tout à coup la tête et l'embrassa.

Il fondit sur elle comme pour la dévorer. Cette fois, il exigeait tout d'elle, car seule une sincérité totale pouvait leur fournir les réponses dont ils avaient tant besoin.

Serait-il capable d'aimer un autre enfant ? D'entrer une deuxième fois dans la peau d'un mari et d'un père ? Attendait-elle cela de lui ? Et pourquoi l'avait-elle quitté ?

Le goût de sa bouche, la sensation de son corps haletant sous le sien effacèrent toutes ses interrogations. Un véritable feu d'artifice jaillit en lui, illuminé de toutes les couleurs de l'arc-en-ciel. Il donna libre cours à son désir, et elle explosa de passion à son tour. Ses mains descendirent le long de son dos, caressèrent ses hanches, se glissèrent entre eux. Renversant la tête en arrière, il chercha à reprendre son souffle.

— Tu n'as pas de préservatif ? chuchota-t-elle.

— Je n'en ai pas avec moi.

— Tu es… d'accord pour t'en passer ?

— En fait, je n'y avais même pas pensé, mentit-il.

Ou plutôt, il ne s'était pas autorisé à y penser…

— Tu devrais peut-être…

— Penses-y, toi, répliqua-t-il, à la torture. Je suis incapable de penser à quoi que ce soit.

— Je suis passée chez mon médecin cet après-midi, en allant voir les jumelles…

Sous le coup d'une inquiétude subite, quelques cellules grises se remirent en état d'alerte.

— Tu vas bien ?

Elle lui sourit, les yeux dans les yeux, et murmura :

— J'ai le feu vert.

Il mit quelques instants à comprendre mais, quand il saisit, il encaissa durement le coup. Il n'avait même pas pensé à lui poser la question !

— Feu vert, répéta-t-il.

Elle retira sa main et il eut un vertige subit. Le désir était si violent qu'il en devenait douloureux.

— Tu vas t'arrêter là ? demanda-t-elle.

Ses yeux étaient si doux, remplis de désir et d'angoisse ! Impossible de battre en retraite, de s'enfuir comme il l'avait déjà fait ; il ne pouvait plus se dérober.

— Non, je ne vais pas m'arrêter là, gronda-t-il.

Dans une sorte de révélation, il comprit que ce n'étaient pas des réponses qu'il cherchait, mais quelque chose de bien plus profond. Il cherchait la paix, la foi... son âme, en quelque sorte.

— Je ne *peux pas* m'arrêter, dit-il en penchant la tête pour l'embrasser.

Elle s'ouvrit à lui, et l'entoura de ses bras.

— Tu trembles, murmura-t-elle dans un souffle.

Il répondit avec une sincérité absolue :

— Parce que j'ai tellement besoin de toi...

Il vit une larme glisser sous ses cils clos, la cueillit de ses lèvres, et l'entendit soupirer convulsivement. Ses cuisses s'enroulèrent autour de ses hanches et il s'enfonça au plus profond d'elle. Il se sentait comme un dieu, tout-puissant et émerveillé à la fois... Sa vie n'était rien de plus qu'une poussière voguant dans l'infini de la galaxie et, pourtant, il sentait la puissance de l'univers. Uni à Caroline, il formait le noyau, l'atome qui, s'il entrait en fission, pouvait déclencher une explosion atomique.

Il s'anima, lentement d'abord, comme s'il avait besoin de réapprendre le rythme de l'amour. Puis le mouvement s'empara de lui et l'emporta. Le souffle haché de Caroline le précipitait en avant, lui donnant la force de s'arracher à l'inertie qui le maintenait au sol depuis si longtemps. La gravité ne signifiait plus rien, il flottait au-dessus de Caroline, il la soulevait avec lui. Chaque fois qu'il s'enfonçait en elle, il s'envolait un peu plus haut.

Quand il entendit Caroline crier, il hésita, arraché à sa transe extatique, craignant de lui avoir fait mal. Puis il plongea son regard dans le sien et vit qu'elle entrait dans le plaisir. Elle était lourde entre ses bras et pourtant elle flottait, à la fois abandonnée et vibrante. Il s'immobilisa, la tenant suspendue dans cet instant infini, et vit sa bouche s'incurver en un sourire bouleversant, sa nuque ployer en arrière. Son corps se mit à trembler, ses mains s'agrippèrent à lui, et elle se souleva tout entière à sa rencontre.

Des taches lumineuses envahirent son champ de vision. Aveuglé, il réussit pourtant à retenir sa propre explosion pour se concentrer sur elle — sur son plaisir. Penchant la tête vers la sienne, il s'empara de sa bouche, la prit comme il prenait son corps. Elle cria encore et il but ce cri à même sa bouche.

Elle se convulsait entre ses bras, son corps se crispant dans un spasme interminable. Il la broya contre sa poitrine, presque effrayé tout à coup, comme si elle allait voler en éclats entre ses bras, se briser en mille morceaux... comme l'avait fait sa propre existence ! Après tant de renoncements, il ne renoncerait pas à elle, plus jamais ! Elle était le centre et le sens de sa vie. Pourquoi l'avait-il jamais laissée partir ?

Peu à peu, elle s'apaisa et il relâcha son étreinte. Sa tête retomba en arrière sur l'oreiller, et elle déglutit avec difficulté, les yeux clos. De son côté, il sentait son cœur emballé ralentir un peu sa course.

Il s'aperçut tout à coup qu'elle le regardait. Le souffle encore court, elle leva la main, puis écarta une boucle humide de son front.

— Matt ?

— Je te tiens et je ne te lâcherai plus, gronda-t-il. Tu es à moi. Rien qu'à moi.

Les yeux rivés aux siens, il se remit en mouvement en elle, et sentit ses ongles se planter dans son dos.

— Dis-le, exigea-t-il.

Son sang rugissait à ses oreilles, il entendait à peine ses propres paroles. Il réussit pourtant à s'accrocher à la réalité, à insister :

— Dis que tu es à moi.

— Non.

Arrêté net dans son élan, il crut se sentir mourir. Elle le repoussa, le força à s'allonger… et l'enfourcha pour lui faire l'amour, lentement, furieusement. Quand il l'attira sur sa poitrine, elle articula à son oreille :

— Non. C'est toi qui es à moi.

Il explosa. Jamais il n'aurait cru possible de passer par toutes les phases du désir à une vitesse aussi fulgurante. Son corps allait entrer en combustion, se volatiliser dans un éclair…

La violence retomba, la passion s'apaisa. Il sombra tout droit dans un sommeil de plomb et, quand il s'éveilla, à l'aube, ce fut pour voir Caroline debout, toute raide dans la lumière grise de la fenêtre. Il se redressa sur un coude et l'angoisse le saisit au ventre.

— Tu as déjà des regrets ? demanda-t-il.

Quand elle se retourna vers lui, elle avait le visage aussi gris que le ciel. Resserrant autour d'elle son peignoir éponge, elle murmura :

— Non, bien sûr que non...

Et il sentit, pour la première fois de leur vie commune, que sa femme venait de lui mentir.

Ce qui s'était passé entre eux la troublait profondément. Elle s'était si bien convaincue qu'il ne l'aimait pas, qu'il ne l'avait jamais aimée, qu'il l'avait seulement épousée par devoir... Cette nuit, pourtant, il ne l'avait pas touchée par devoir ou par sens des responsabilités.

Jamais auparavant il n'avait tremblé en faisant l'amour avec elle. Jamais il ne l'avait emportée dans une autre dimension. Il suffisait qu'elle retrouvât le souvenir de cette nuit pour en avoir la chair de poule. Matt les avait réellement emmenés ailleurs. Un acte purement physique n'aurait pu déclencher une telle réaction en eux, il devait y avoir une émotion...

Il devait y avoir de l'amour.

S'était-elle trompée ? Matt l'avait-il aimée à une époque ? Peut-être... mais c'était bien fini. Comment pourrait-il l'aimer encore, alors qu'il ne la connaissait même plus ! Elle n'était plus la petite fille docile et dépendante qu'il avait épousée. Il était amoureux d'un fantôme.

De toute façon, la question était simple, car même s'il s'imaginait la désirer, il ne voulait toujours pas de Hailey. Elle ne pourrait jamais se donner à un homme qui n'aurait pas assez d'amour pour toutes les deux. Tête basse, elle revint vers sa chambre, marchant vite pour ne pas laisser de traces humides sur le plancher ciré.

A la porte entrouverte de la chambre, elle s'arrêta net, oubliant les gouttes qui pouvaient rouler de ses cheveux mouillés, oubliant tout sauf le tableau devant elle. Les cheveux encore hérissés de la nuit, torse nu, Matt se penchait sur le berceau ancien... et il chantait. Il chantait une berceuse au bébé.

Pour un homme aussi déterminé à repousser sa famille, il semblait étrangement satisfait. Il étudiait la petite avec gravité, mais sans aversion — comme s'il venait de trouver quelque chose qu'il cherchait depuis longtemps.

Caroline ne put retenir une petite exclamation, à mi-chemin entre un soupir et un sanglot étranglé. Le regard clair de Matt se leva vers elle.

— Elle pleurnichait, dit-il sur le ton de la confidence, comme s'il ne voulait pas être entendu du bébé.

Médusée, Caroline hocha la tête.

— Elle doit avoir faim.

— Non, il est encore tôt. Elle avait juste besoin d'être changée.

— Tu as... changé sa couche ?

Il eut un sourire dévastateur, et passa un doigt sur la joue de Hailey. La petite lui sourit en retour.

— Je n'allais pas laisser ma petite fille comme ça.

Caroline baissa la tête. Dans sa hâte à s'échapper, elle n'avait même pas vérifié la couche de sa fille avant de se réfugier dans la salle de bains.

— Je l'aurais changée...

— Non, je voulais le faire.

Une énergie nouvelle montait en elle. Elle leva les yeux, osant le regarder bien en face.

— Pourquoi ? demanda-t-elle.

— Je me suis dit qu'il était temps qu'on fasse connaissance, tous les deux.

211

Hailey battit des jambes et se mordilla le poing. Matt posa une main apaisante sur son épaule, et elle leva vers lui un regard interrogateur, puis sourit de nouveau.

— Jusqu'ici, je trouve qu'on se débrouille bien, elle et moi…

Caroline plissa les yeux, cherchant à assimiler cette nouvelle donne. Où était passé le mari qui ne voulait pas d'enfant ? Que devenait sa raison majeure de ne pas revenir auprès de Matt ?

— Elle a l'air contente, dit-elle d'une voix neutre.

— Nous sommes contents tous les deux.

Il ne plaisantait pas : c'était bien réel. Sa grande main tenait fermement la main minuscule de Hailey.

— Si on retournait au lit, tous ensemble ? suggéra Matt.

— Je suppose que tu n'étais pas sérieux en me proposant de revenir à Port Kingston ?

La plaisanterie sonnait faux. Il réprima une bouffée sourde de colère.

— Bien sûr que si ! Mais tu ne vas pas revenir à Port Kingston. Pas pour l'instant, en tout cas.

Elle se pencha pour relever une petite chaise, mais l'un des pieds se brisa en morceaux charbonneux et elle s'affaissa sur le côté. Caroline s'essuya les mains sur son jean, laissant de nouvelles taches noires sur ses cuisses.

— Je n'ai pas vraiment le choix, dit-elle en parcourant la salle dévastée du regard. Je ne peux pas ouvrir une crèche ici.

— Tu as bien une assurance pour la maison ? On te paiera tes réparations.

— Oui, mais quand ? Sûrement pas à temps pour tout refaire avant la fin de l'année scolaire. Si la crèche ne fonctionne pas pendant les grandes vacances, je n'ai plus qu'à mettre la clé sous la porte.

— Je paierai tout ce dont tu auras besoin.

— Et comment comptes-tu faire ça, exactement ?

Il ne trouva pas de réponse immédiate. Son salaire ne suffirait pas à financer leurs deux maisons, et toutes leurs économies avaient été englouties par la maladie de Brad... Néanmoins, il ne la laisserait pas tomber maintenant.

— On vendra l'autre maison.

— Et où habiteras-tu ?

Pour toute réponse, il lui lança ce regard capable de faire taire les suspects qui tentaient de discuter avec lui. Il ne suffit pas, cependant, à faire taire Caroline.

— Ici ? demanda-t-elle en avalant douloureusement sa salive. Matt, je sais que tu essaies de m'aider, mais...

— Je ne demande pas à reprendre mon ancienne place dans ta vie. Je sais que tu as des... décisions à prendre. Mais je ne laisserai pas un voyou faire des choix à ta place. Si c'est ça l'avenir que tu veux, tu l'auras. Avec moi ou sans moi.

A l'idée qu'elle pût choisir de vivre sans lui, sa voix s'était faite presque menaçante. Il voulait que Caroline lui revînt — mais il ne la prendrait pas aux dépens de ses rêves.

Serrant les poings, il se força à lui lâcher les épaules et augmenta encore la mise.

— Tu l'auras, je peux te l'assurer. Je te le promets.

Les yeux humides, elle leva la main pour lui effleurer la joue.

— J'ai un champion prêt à se battre pour moi...

Il dut respirer à fond pour calmer son angoisse. Prenant sa main froide entre les siennes, il entreprit de la réchauffer entre ses paumes. Oui, il était son champion, et elle n'était pas obligée de faire ses choix tout de suite. Il pouvait encore attendre, et il n'avait pas fini de lutter pour elle.

— Je peux le faire ! cria-t-elle en entendant son pas derrière elle, alors qu'elle s'escrimait à tirer dehors une poutre calcinée.

Arc-boutée, les jarrets pliés, elle souffla pour écarter de son visage les petites mèches échappées de sa queue-de-cheval. Cette fois, elle ne se retournerait pas, et ferait comme s'il n'était pas là. Il était censé évaluer les dégâts du toit : qu'il y reste ! Elle ne voulait plus qu'il vole à son secours, car elle se débrouillait très bien sans lui.

— Je peux le faire toute seule, ajouta-t-elle, les dents serrées.

— Alors, tu ne veux pas le verre de citronnade que je t'ai apporté ?

Elle lâcha la poutre, qui tomba lourdement en lui éraflant le tibia au passage. Laissant échapper une exclamation, elle se retourna en sautillant ; la vue du grand verre embué, rempli de glace et de citronnade, fit beaucoup pour apaiser sa douleur.

— De la citronnade ? répéta-t-elle avec gourmandise.

— J'avais besoin d'une pause… Pas toi ?

Le verre frais apaisait ses pauvres mains malmenées. C'était absolument délicieux… Quand elle but, ce fut encore meilleur. Elle vida le verre d'un trait et le rendit à Matt en s'essuyant la bouche.

— Merci. En fait, tu tombais à pic.

— De rien, dit-il avec un sourire.

Il jeta un regard vers la poutre à leurs pieds ; elle fourra ses mains dans les poches arrière de son jean. Un silence inconfortable s'étira entre eux.

— Euh…, dit-elle enfin, en grattant du bout du pied la moquette calcinée. C'est un peu lourd. Puisque tu es là, tu veux bien me donner un coup de main ?

— Avec plaisir, répondit-il très sérieusement.

Elle devina l'effort qu'il faisait pour ne pas sourire. Se penchant négligemment, il ramassa la poutre comme s'il s'agissait d'un cure-dents. Déterminée à ne pas se laisser écarter, elle se hâta d'en saisir une extrémité, et trotta derrière lui, en direction de la pile de débris qu'ils constituaient à l'extérieur. Une fois la pièce de bois jetée sur la pile, elle eut la satisfaction de voir qu'il avait le souffle court.

— Caroline, Matthew, vous êtes là ?

Mme Johnson venait de passer la tête par le trou béant qui avait été la porte de derrière. Une canne martela sourdement le plancher gauchi et M. Johnson parut derrière elle. Le vieux couple avait proposé de garder Hailey et Jeb pendant le gros nettoyage.

— Il y a un policier qui vous demande, lança Mme Johnson, en repoussant gentiment Jeb qui tendait le cou derrière ses jupes.

— Il dit que c'est urgent, précisa la voix rauque de son mari.

Puis, avec un geste qui englobait tout le désastre, il ajouta :

— Ils ont retrouvé la fille qui a fait ça.

Caroline se retourna d'un bond. Saisissant au vol sa main couverte de suie, Matt l'entraîna vers la maison. Le vieux couple s'écarta en silence pour les laisser passer.

Le shérif les attendait sous la véranda, la seule partie du rez-de-chaussée ayant tout à fait échappé aux flammes.

— Croyez bien que ça m'ennuie de vous déranger..., dit-il en tournant son chapeau entre ses mains.

Vivement, Matt essuya sa main noircie de suie et la lui tendit.

— Vous ne nous dérangez pas. Nous avions demandé à être prévenus quand elle serait au poste.

— Eh bien, commença leur interlocuteur en se grattant longuement la tête, on ne peut pas dire qu'elle soit au poste...

Mille questions tourbillonnaient dans l'esprit de Caroline. Pourquoi Gem avait-elle fait ça ? Etait-on sûr, maintenant, que c'était bien elle ? Et qu'allait-il advenir des jumelles ?

— Elle va bien ? Et Max et Rosie ? lança-t-elle.

Toujours avec cette lenteur insupportable, le policier se mit en devoir de s'expliquer :

— On ne sait pas exactement ce qui se passe, madame. On a l'employé d'un motel à Calico qui affirme que Mlle Millholland se trouve dans leur établissement, à une quarantaine de kilomètres le long de la voie rapide. Personne ne répond quand on frappe à la porte, mais il y a bien quelqu'un dans la chambre. Quand on a appelé, quelqu'un a décroché le téléphone, mais sans dire un mot. C'est le truc le plus bizarre que j'aie jamais vu.

Près d'elle, Matt s'était crispé. Se pouvait-il qu'il s'agisse d'une de ces situations qu'il affrontait dans son métier ? Une prise d'otages ?

Oui ! pensa Caroline aussitôt. Gem avait pu être assez insensée pour enlever ses petites. Dans ce cas, il ne serait plus possible de les lui rendre une fois qu'on les aurait récupérées. Si on parvenait à les récupérer... Non, cela, elle ne pouvait pas le croire. Gem ne ferait pas de mal à ses bébés, elle en était incapable. En revanche, les tractations seraient sans doute longues et difficiles : elle en savait assez sur le métier de son mari pour comprendre que les preneurs d'otages qui refusaient de parler étaient les pires. Comment négocier avec un mur ?

— Vous avez une équipe sur place ? demanda Matt.

— Ils sont en route. Mais avec ces bébés qui sont peut-être à l'intérieur, ils ne tiennent pas trop à forcer la porte.

— Gem ne leur ferait pas de mal ! s'exclama Caroline.

Les deux hommes échangèrent un regard. Matt reprit sa main, et sembla chercher ses mots. Furieuse, elle se dégagea d'une secousse, croisant les bras sur sa poitrine. Son cœur battait la chamade. Qu'ils aillent au diable avec leurs airs de connaisseurs ! Ils étaient peut-être au courant des statistiques, mais elle connaissait Gem !

— Peut-être, dit Matt avec douceur. Mais si elle n'est pas seule ? Elle était avec un homme, tu le sais bien. S'ils se sont barricadés là-dedans tous les deux...

La façon dont il laissa sa phrase en suspens la glaça. Fermant les yeux, elle lança une brève prière dans le vide ; quand elle les rouvrit, elle comprit que la réponse se trouvait devant elle. Vite, elle plaqua ses mains sur la poitrine de Matt.

— Il faut que tu y ailles.

Sous ses paumes, elle sentit ses muscles se durcir.

— Caroline, ce n'est pas mon secteur...

— En fait, monsieur, c'est pour ça que je suis venu.

Le regard de Matt se braqua sur le shérif, mais à part cela, il ne bougea pas un muscle.

— L'équipe sera sur place d'un moment à l'autre, mais il paraît que vous êtes le meilleur négociateur de l'Etat, expliqua l'homme avec un large sourire. On n'a personne ici avec ce genre de formation, en tout cas personne qui ait votre expérience. On espérait...

L'attitude de Matt dut finir par le frapper, car il se remit à triturer le rebord de son chapeau, et conclut maladroitement :

— Enfin, bon... On a pensé que vous pourriez nous donner un coup de main.

Caroline s'efforça de faire passer tout ce qu'elle ressentait dans son regard et dans le contact de ses mains.

— Je t'en prie, Matt...

Elle savait à quel point ces situations où des enfants étaient en cause se révélaient difficiles pour lui. Il était affreux de le mettre dans une situation pareille, mais, en même temps, elle ne supportait pas l'idée qu'il pût arriver quoi que ce soit à Max ou Rosie. Ou à Gem, d'ailleurs, quelle qu'eût été sa manière d'agir ! Elles n'étaient que des enfants, toutes les trois.

— Gem te connaît, elle te fera confiance, dit-elle. Moi, je te fais confiance.

Restait la dernière question : pouvait-il se faire confiance ?

14.

La voiture de police fonçait sur la voie rapide entre Sweet Gum et Calico, sirène hurlante, gyrophare en action. En quittant Port Kingston, Matt pensait avoir laissé tout cela derrière lui, au moins pour un temps. Il se trompait.

Il aurait donné beaucoup pour échapper à cette opération, et pourtant l'adrénaline courait dans ses veines. Le souffle d'air qui s'engouffrait par la vitre ouverte frappait son visage comme une gifle, son cœur s'accélérait, les cheveux se dressaient sur sa nuque. L'excitation de la poursuite, l'anticipation du combat — et aussi la peur.

Une fois de plus, il tenait la vie de plusieurs personnes entre ses mains. Et s'il allait échouer ? Il voyait encore les yeux suppliants de Caroline : cette fois, il préférait mourir plutôt que de trahir sa confiance.

La voiture s'arrêta dans une gerbe de gravier sur le parking du motel. Un petit homme au ventre rond se précipita, ouvrit la portière de Matt et lui tendit la main.

— Je suis le shérif Tulane. Content de vous avoir avec nous.

Matt lui serra la main et jaillit de la voiture dans le même mouvement.

— Ça vous pose un problème de travailler avec quel-qu'un qui ne fait pas partie de votre équipe ? demanda-t-il de but en blanc.

Il existait une méfiance latente entre les branches diffé-rentes de la police et, en tant qu'élu, la position d'un shérif était particulièrement délicate. Matt fut soulagé d'entendre le petit homme pousser une exclamation de dédain.

— Je veux bien travailler avec le diable en personne si ça nous permet de boucler cette affaire sans casse ! J'ai l'intention de sortir ces gosses de là. J'ai des enfants, moi. Et vous ?

Tout en parlant, il entraînait Matt vers le bureau d'accueil, s'effaçant pour le laisser passer. Sur le point de répondre automatiquement qu'il n'avait pas d'enfants, Matt hésita, puis fit délibérément oui de la tête. Son cœur fit un petit bond qui ne devait rien à l'adrénaline.

— Oui, j'ai une petite fille.

Deux assistants se hâtaient vers eux, carnet en main. Le shérif le présenta rapidement et leur fit signe de parler.

— Qu'est-ce que vous avez pour moi ? leur demanda Matt.

— La femme de ménage confirme que Gem Millholland est dans la chambre 214, avec un homme.

— Un adolescent noir.

— Quelqu'un a vu son véhicule ? demanda Matt.

Les assistants tournèrent les pages de leurs carnets.

— Un pick-up bleu ciel, précisa le premier.

— Parfait, c'est notre homme, et c'est un violent.

Les hommes échangèrent un regard sombre.

— La femme de ménage dit aussi qu'elle les a vus rentrer hier soir avec deux tout petits enfants. Depuis, on ne voit plus personne. Les rideaux sont tirés, les lumières et la télé restent allumées en permanence, l'écriteau « ne pas déranger » est accroché à la porte. Il n'y a pas de réponse quand on frappe et, comme on vous a déjà expliqué, pour le téléphone. Avec les gosses à l'intérieur, on n'a pas voulu forcer la porte.

— Vous avez bien fait, dit Matt. Le reste du bâtiment est évacué ?

Il reçut un double signe de tête affirmatif en réponse.

— Très bien, dit-il tandis que son cerveau élaborait déjà la stratégie qui amènerait Gem et son compagnon à lui parler. On laisse tomber le téléphone pour l'instant. Trouvez-moi un porte-voix, et mettons-nous au travail.

De toute façon, elle ne pouvait plus rien faire ici. Le mieux serait de proposer aux Johnson de rentrer à la ferme. Les enfants pourraient faire une sieste, et elle pourrait téléphoner.

Par la fenêtre brisée, elle vit un pick-up rouge sombre s'engager sur le chemin de la butte. Il roulait très vite, en tressautant violemment sur la surface inégale. Interdite, elle alla se poster derrière la porte moustiquaire pour le regarder monter. A présent, elle entendait le rugissement du moteur. Pourquoi roulait-il comme un fou ? se demanda-t-elle, le cœur serré. S'était-il passé quelque chose ? Sans téléphone, le bureau du shérif n'avait aucun moyen de la contacter s'il arrivait quelque chose à Matt. Ou à Gem !

Puis la raison reprit le dessus. Cela faisait à peine une heure que Matt était parti, et elle savait d'expérience que les situations où le sujet s'est barricadé se règlent rarement aussi vite. Avant le début des négociations, la police bouclait le secteur, mettait en place son dispositif de surveillance, et rassemblait des renseignements sur le sujet. Seulement cette fois, il ne s'agissait pas d'un sujet mais de Gem ! Si cela devait durer longtemps, comment allait-elle tenir le coup ?

Le pick-up s'arrêta devant la maison en oscillant sur ses roues ; le chauffeur mit pied à terre. Un homme noir, grand et solide, son bleu de travail tendu à craquer sur son corps musclé. Il marchait lourdement, comme un ours ; quand il s'approcha, elle vit que ses yeux étaient bordés de rouge.

Les mains crispées, elle se demanda si elle aurait le temps de lui claquer la porte au nez et d'engager la serrure installée par Matt, au cas où il se montrerait agressif. Elle en doutait.

L'homme prenait déjà pied sous la véranda.

— Je peux vous aider ? demanda-t-elle.

— J'espère bien, m'dame.

A sa grande surprise — et à son grand soulagement —, il s'immobilisa à une distance respectueuse.

— Je m'appelle Tom Justiss.

Matt abaissa son porte-voix et attendit quelques secondes. Cela faisait plus d'un quart d'heure qu'il tentait d'établir la communication. La tension le gagnait, et il sentait le poids angoissé de ses responsabilités.

D'un mouvement brusque, il se tourna vers le shérif.

— Je veux du matériel d'écoute dans les chambres de chaque côté de la sienne. Si quelqu'un éternue là-dedans, je veux le savoir.

Le shérif tamponna sa calvitie luisante avec un grand mouchoir.

— On n'a pas ce genre d'équipement chez nous. Il faudra le faire venir du comté de Livingston.

— Alors faites-le venir du comté de Livingston, répliqua sèchement Matt. Dites-leur de faire vite.

Le visage du shérif devint aussi rouge que son crâne, il partit au grand trot en criant qu'on lui apporte un téléphone portable. Se passant l'avant-bras sur le front, Matt se retourna vers le motel minable et s'obligea à parler sur un ton tranquille.

— Gem, j'ai juste besoin de savoir si tout va bien, là-dedans. Si tu voulais bien décrocher le téléphone et m'expliquer ce qui se passe, je pourrais peut-être t'aider. Je suis là pour t'aider, tu sais…

Il attendit une réponse, sachant d'instinct qu'elle ne viendrait pas. Comment ne pas penser au dernier preneur d'otages qu'il avait voulu aider ? James Hampton se serait bien passé de son aide, tout comme ses enfants qui avaient regardé mourir leur père.

Cette fois, il ne laisserait pas les choses se terminer de cette façon. Il ferait tout pour éviter la « casse », comme disait le shérif. Pas seulement pour Gem et les petites, mais pour Caroline, et aussi pour lui-même.

Il respira lentement, attendit que son pouls ralentisse, puis reprit son porte-voix.

— Gem ? Si tu n'as pas envie de parler tout de suite, ce n'est pas un problème.

Il avait tout le temps. Tant que Gem et son complice l'écoutaient, tant qu'ils ne faisaient pas de mal aux petites, ou à eux-mêmes…

— Ecoute, je vais continuer à parler, et quand tu auras envie de répondre, ne te gêne pas. D'ici là, tu peux te contenter d'écouter.

Il se tut un instant. Pour la première fois de sa carrière de négociateur, il ne savait pas très bien par où commencer. Il se creusa la tête à la recherche d'un point commun, un lien entre eux, n'importe lequel. A part Caroline, bien sûr... Mais vu l'attitude actuelle de la jeune fille envers elle, ce n'était pas le point de départ idéal. Puis, lentement, comme si son esprit refusait de l'admettre, il prit conscience du deuxième lien qui les unissait. Gem et lui avaient tous deux des filles.

Nerveux, il s'humecta les lèvres et commença :

— Maxine et Rosie sont des gamines magnifiques, Gem. J'espère que Hailey sera aussi jolie au même âge.

Il se tut quelques instants pour donner à Gem la possibilité de réagir.

Rien.

Pas de problème, il avait l'habitude des conversations à sens unique. Relevant le porte-voix, il enchaîna :

— Je n'avais jamais envisagé d'avoir une fille, et voilà que j'ai Hailey. Maintenant, quand je la regarde, ou même quand je pense à elle, j'ai une sensation bizarre dans la poitrine. Ça te fait la même chose quand tu regardes tes petites ?

Qu'ils étaient lourds, ces silences ! Là-bas, la porte restait close, le rideau de la fenêtre ne se soulevait pas, aucun son n'émanait de la chambre.

— Tu crois que ce sera toujours comme ça, même quand elles seront grandes ? Même quand elles auront quitté la maison ? On va probablement être des parents poules, non ?

Il attendit encore, tendant l'oreille, luttant pour ne pas laisser la déception l'envahir. Puis il enchaîna avec les difficultés d'un ami à lui qui élevait seul une fille adolescente, en soulignant le côté comique de ses déboires. Il parla, parla jusqu'à ce que les mots deviennent incertains à ses propres oreilles ; il parla automatiquement, sans plus avoir besoin de réfléchir, jusqu'à ce qu'un assistant délégué par le comté de Livingston arrivât enfin avec le matériel de surveillance demandé. Une pression insoutenable lui martelait la tête, faite de frustration, d'angoisse, de colère et de panique…

La caméra ne mesurait que quelques centimètres de côté. Faite pour se glisser sous une porte, elle était aussi plate qu'une carte de crédit. Quelques minutes plus tard, quand Matt reprit son porte-voix, il avait un moniteur vidéo devant lui, et l'assistant, en tenue de protection, rampait vers la porte de la chambre 214.

L'homme s'immobilisa sous une fenêtre, puis se tourna à demi vers Matt et le shérif. Ce dernier lui fit signe d'y aller, tandis que Matt, les yeux rivés sur l'écran, maintenait son feu roulant de paroles. Tout à coup l'écran s'anima, montrant la vue au ras du sol d'une chambre assombrie par les rideaux tirés. L'image se déplaça vers la droite ; il entrevit des silhouettes agitées sur l'écran d'une télévision. Plus à droite encore, elle s'arrêta sur une sorte de filet, puis revint lentement vers la gauche.

Coupant son porte-voix, Matt ajusta le micro de son casque pour pouvoir s'adresser à l'homme qui maniait la caméra à l'aveuglette, allongé contre la porte.

— Revenez vers la droite, s'il vous plaît.

L'image rebroussa chemin ; il retrouva le filet, chuchota d'autres instructions… et découvrit un poing dodu accroché aux mailles. Un mouvement… L'une des jumelles venait de se hisser sur ses pieds. Il vit des joues rondes, et de grands yeux ensommeillés. Un peu plus loin, l'autre jumelle parut à son tour, assise au fond du parc, un pouce en bouche, son doudou pressé contre la joue. Elle regardait paisiblement sa sœur.

Dieu merci !

Enthousiaste, Matt brandit le pouce vers l'équipe de policiers massés derrière lui. Une onde de soulagement parcourut le groupe.

— Revenez vers la gauche, demanda Matt. Jusqu'à ce que je vous dise d'arrêter.

A l'écran, l'image se brouilla momentanément sous l'effet du mouvement. Quand elle s'arrêta, on distinguait l'angle d'un lit, une paire de pieds nus et minces. C'était difficile à distinguer, en noir et blanc, mais les ongles étaient très sombres, sans doute vernis. Se déplaçant à l'horizontale, l'image remonta le long d'une paire de jambes, nues également, maigres, mollement abandonnées sur le dessus-de-lit.

Matt se mordit la lèvre, et ses doigts se crispèrent. La caméra saisit le bord effrangé d'un short en jean, puis un nombril nu, une paire de seins menus à peine couverts par un T-shirt à demi relevé. Enfin, elle trouva le visage de Gem.

Le souffle de Matt explosa hors de sa poitrine.

— Non ! dit-il comme si son déni pouvait encore changer quelque chose. Bon sang, non !

De toutes ses forces, Caroline ordonnait mentalement à Jeb de rester dans le bureau. Elle n'avait jamais été très douée pour dissimuler ses émotions, et Tom Justiss dut deviner sa réaction ; il tendit la main vers elle, sans chercher à la toucher, mais comme si ce geste pouvait les aider à se comprendre.

— N'ayez pas peur, m'dame. Je ne suis pas venu ici pour faire du mal à quelqu'un.

— Pourquoi êtes-vous venu, monsieur Justiss ?

— Pour Savannah. J'ai su qu'il lui était arrivé quelque chose et... à l'hôpital, ils ne veulent pas me laisser entrer.

Caroline frémit. Il était allé à l'hôpital ?

— Je comprends qu'ils ne veuillent pas, et je sais bien que ça ne lui ferait pas plaisir de me voir. Mais ils ne veulent rien me dire non plus. Ils ne m'expliquent même pas ce qui est arrivé à Jeb : s'il était là, s'il a aussi été blessé...

Rassemblant tout son courage, Caroline trouva assez de fermeté pour lui dire :

— Selon la loi, vous avez perdu le droit de prendre des nouvelles de Jeb, de savoir comment il va et où il se trouve.

Si elle s'en tenait aux grands principes, ce bourreau d'enfant ne méritait rien d'autre... et pourtant, l'homme planté devant elle avait l'air si tourmenté, il ressemblait tant à n'importe quel père anxieux qu'elle ressentit un petit pincement de compassion.

— Je peux vous dire une chose, dit-elle en choisissant ses mots avec soin. Jeb n'a pas eu de mal. Il est inquiet pour sa mère, mais il va bien. Et il est entre de bonnes mains. On prendra bien soin de lui jusqu'au retour de sa mère.

— Merci, dit Justiss en hochant la tête plusieurs fois. Merci infiniment. Je suis vraiment content d'entendre ce que vous me dites.

Il recula d'un pas, hésita un instant, puis lança :

— Je sais bien qu'ils ne sont plus à moi, ni l'un ni l'autre, après ce que j'ai fait. Mais vous savez... j'ai bien suivi ma thérapie, comme l'a dit le juge. J'ai travaillé dur pour contrôler ma colère.

Intimidé, il se dandinait d'un pied sur l'autre. Le cœur de Caroline s'ouvrit un peu plus, malgré elle.

— Vous pourrez peut-être dire ça à Savannah quand elle se sentira mieux, chuchota Justiss. Juste pour qu'elle n'ait plus peur...

— Je lui dirai, promit Caroline.

Elle referma la porte, et entendit le pas lourd de Tom Justiss redescendre les marches. Un tremblement nerveux la faisait vibrer des pieds à la tête, en réaction sans doute à la frayeur qu'elle avait ressentie quand son visiteur s'était identifié. Par la fenêtre, elle vit le pick-up redescendre vers la route, à une allure normale cette fois. En elle, le soulagement se mêlait à un curieux sentiment de mélancolie. C'était si étrange, ce bref passage de l'ex-mari de Savannah... Elle ne voyait pas l'homme qui avait failli tuer Jeb avec ces épaules voûtées, cette attitude déférente. Avec un soupir, elle se retourna... et trouva un nouvel inconnu planté derrière elle.

Depuis l'incendie, la maison était ouverte de toutes parts ; il avait dû entrer par-derrière sans frapper. Bien plus jeune que Tom Justiss, il n'inspirait aucun sentiment d'attendrissement. Ses vêtements pendaient sur son corps maigre comme des sacs accrochés à un épouvantail ; il aurait eu besoin de quelques bons repas, sans parler d'un jean correct et d'une chemise sans trous. Ses cheveux crépus se hérissaient sur sa tête, et ses yeux... Tandis qu'ils se dévisageaient mutuellement en silence, les yeux de l'inconnu allumèrent en elle la première étincelle de peur. Des yeux fatigués, bien trop mûrs pour son âge, et remplis de rage. Malgré son sourire, il avait des yeux de fou furieux.

Caroline recula un peu.

— Je peux vous aider ? demanda-t-elle pour la seconde fois de l'après-midi.

— Je l'espère, dit-il.

Elle recula encore, sachant que la porte était derrière elle, sachant aussi qu'elle ne pouvait pas s'enfuir. Hailey faisait sa sieste dans le petit bureau, Jeb était auprès d'elle. Elle ne pouvait pas abandonner les enfants.

— Je vous connais ? demanda-t-elle.

Il traversa la pièce, avec les longues enjambées d'un adolescent mal à l'aise dans un corps subitement monté en graine. Cela n'avait rien de touchant, car il se dégageait de lui une véritable menace.

— Non, m'dame, dit-il calmement, vous ne me connaissez pas.

Et si elle se précipitait dans la cuisine ? Elle parviendrait peut-être à l'entraîner dehors, loin des autres. Devinant sans doute sa pensée, il bondit avant elle vers le cadre noirci de la porte. Sortant un long poignard d'un étui à sa ceinture, il passa son pouce sur le tranchant et regarda, sans la moindre expression, une bulle de sang se gonfler hors de la coupure. Enfin, il leva les yeux vers elle.

— Mais moi, je vous connais. Et je connais votre mari.

Il devait obtenir des explications de toute urgence, car ils n'avaient trouvé que Gem et ses deux filles dans la chambre. Son mystérieux compagnon était parti, la laissant attachée sur le lit. Où était-il ? Maladroitement, Matt lui tapota le dos en murmurant des mots apaisants, et fut soulagé de sentir ses sanglots se calmer.

— Qu'est-ce qui s'est passé, Gem ? Qui t'a fait ça ?

Elle s'essuya le nez avec le mouchoir que lui tendait un policier.

— Il... m'a dit qu'il m'aiderait. Il... disait qu'il tenait à moi..., hoqueta-t-elle.

— Qui disait tout ça ? persista doucement Matt.

— Il se fichait de moi ! Il voulait juste se venger.

— Qui, Gem ? Qui ?

— Au début, c'était bien. On allait où on voulait, rien que tous les deux, sans rendre de comptes à personne. Il était trop gentil, il disait qu'il craquait pour moi. Et puis les filles ont commencé à me manquer. Il disait qu'il fallait attendre, trouver un moyen de vous éloigner de Caroline. Moi, je ne voulais pas, mais il a dit que, si je l'aidais, il irait récupérer mes bébés pour moi… Je ne savais pas qu'il voulait les kidnapper… Je vous jure !

Son récit incompréhensible se perdit dans une plainte aiguë. Elle fixait le vide, les yeux ronds, la bouche ouverte.

— On ne savait pas que le Dr Justiss serait là. C'est vrai ! Elle était là, et elle a essayé de l'empêcher. Il l'a poussée et elle s'est cognée la tête contre la table.

— C'est lui qui a mis le feu ?

Ses yeux se tournèrent enfin vers les siens mais elle semblait toujours regarder ailleurs, prisonnière de son cauchemar.

— C'était un accident, haleta-t-elle. Savannah faisait du thé. Son torchon a touché le gaz… quand elle est tombée. Ça a pris si vite ! Je lui ai dit qu'il fallait les sortir, j'ai emmené Jeb et Hailey…

— C'est toi qui as fait sortir Jeb et Hailey ?

Elle hocha la tête, chercha à reprendre son souffle.

— Je lui ai dit d'emmener Savannah, mais il a eu peur. Il s'est sauvé… J'ai essayé de retourner la chercher mais c'était trop chaud, je ne pouvais pas entrer ! Je n'ai pas arrêté de lui dire qu'il fallait qu'il aille vous voir, pour tout vous expliquer… Il était fou de rage, et il avait encore plus peur qu'avant… Il disait que Savannah était sûrement morte et qu'il vous détestait.

Son débit précipité se ralentit enfin. Quand elle le regarda, il sentit que, cette fois, elle le voyait vraiment. Elle eut un sanglot sec, son visage se chiffonna brutalement et elle chuchota :

— Il… il veut vous faire du mal. Il va faire du mal à Caroline pour se venger de vous.

L'univers bascula sur son axe. Luttant contre le vertige, Matt demanda :

— Se venger pourquoi ?

— De lui avoir pris sa famille.

— Sa…

Il la saisit aux épaules, fermement, en résistant à l'envie de la secouer. Au fond de lui, il pressentait déjà la réponse, mais il demanda tout de même :

— Qui, Gem ? Qui va faire du mal à Caroline ?

— J. J., dit-elle en levant vers lui ses yeux gonflés et suppliants. J. J. Hampton.

J. J.

James Hampton junior…

Elle feinta, fit un crochet vers sa droite. Au moment où elle croyait s'échapper, un long bras maigre et nerveux la saisit au coude. Déséquilibrée par la secousse, elle heurta du genou une table basse, et une lampe s'écrasa sur le sol dans un grand fracas. Horrifiée, elle se mordit la lèvre et retint l'exclamation de douleur qui lui montait aux lèvres. Trop tard… Le mal était déjà fait, le bruit allait attirer les autres. Dans le couloir, elle entendit les pas traînants des Johnson.

— Caroline ? Qu'est-ce qui se passe ?

D'une détente, elle s'arracha aux bras du garçon, hurla :

— Madame Johnson, sauvez-vous ! Il y a...

Elle ne put finir sa phrase. De nouveau, ces bras incroyablement longs venaient de s'emparer d'elle. L'un d'eux se noua autour de sa taille, la tirant en arrière contre la poitrine du garçon ; l'autre passa autour de son épaule, et elle entrevit la lame du couteau qui vint se presser contre son cou.

— Stop ! cria la voix à son oreille. Restez où vous êtes !

Il tremblait si violemment qu'elle crut qu'il allait l'égorger sans le vouloir. En découvrant la scène, Mme Johnson s'arrêta comme si elle s'était heurtée à un mur invisible. Ses yeux s'écarquillèrent, ses mains se crispèrent dans les plis de sa robe de coton imprimée.

— Seigneur...

M. Johnson parut derrière sa femme. Ses sourcils hérissés se froncèrent, creusant encore les rides profondes de son front.

— Dites donc, vous ! s'exclama-t-il en agitant sa canne d'un air menaçant. Qu'est-ce que vous...

— La ferme, le vieux !

— Je vous en prie, monsieur Johnson, madame Johnson, faites ce qu'il vous dit..., supplia Caroline.

— Ouais, renchérit son agresseur. Avant qu'il ne vous arrive des bricoles !

Le corps frêle du vieil homme se redressa un peu.

— Jeune homme ! J'ai combattu les Allemands pendant la guerre, je n'ai pas peur d'un petit voyou.

Il frappait le sol de sa canne pour ponctuer ses paroles, à la fois superbe et pitoyable. Bien entendu, le garçon ne se laissa pas impressionner.

— Ouais, eh bien, on n'est plus en 40, et vous n'êtes pas un héros !

Avec un rire insultant, il fit un mouvement du coude vers le canapé ; sa lame érafla la gorge de Caroline. Celle-ci s'efforça de ne pas avaler sa salive.

— Maintenant, assis, tout le monde !

L'inconnu s'était tourné de profil par rapport au couloir. Vite, Caroline glissa un regard en direction du bureau. Pourvu que ni le chiot ni le bébé ne se réveillent ! Pourvu qu'ils ne révèlent pas leur présence, et que Jeb reste bien à l'abri...

Elle faillit éclater d'un rire dément. Loin de se terrer dans l'autre pièce, Jeb était en train de se glisser le long du couloir, le dos pressé au mur, une main tendue devant lui pour trouver son chemin ; l'autre main pendait derrière lui, invisible. Sa frêle poitrine se soulevait comme un soufflet de forge. Paralysée, elle le regarda approcher. Impossible de lui faire un signe, car il ne le verrait pas. Impossible de lui crier de se sauver sans attirer l'attention sur lui...

A l'instant où le petit garçon atteignait la porte du living, Hailey se mit à pleurer. L'intrus se retourna d'un bond, Caroline ferma les yeux de toutes ses forces... mais la lame ne trancha pas encore dans sa chair.

— Quoi encore..., s'exclama son bourreau.

Elle sentait le sang rugir à ses oreilles, et la panique lui donnait le vertige. Ses yeux lui jouaient-ils des tours ? Jeb venait d'émerger du couloir, un pistolet serré dans ses petites mains. Le pistolet de Savannah ! Il avait dû rester à l'intérieur de son sac, dans le bureau. Pourquoi ne s'était-elle pas souvenue que Savannah avait une arme ?

— Papa ? demanda Jeb d'une voix aiguë.

— Je ne suis pas ton père, petit. Pose ça !

233

Caroline n'aurait pu crier, même si elle l'avait voulu : il la serrait trop violemment. Elle sentait sa fièvre, le battement fou de son cœur. Lui aussi vacillait, au bord de la panique.

— J'ai dit : pose ça !

Jeb mordilla ses lèvres tremblantes, montrant l'espace où ses dents de devant repousseraient bientôt. D'un air de défi, il redressa ses toutes petites épaules. L'arme entre ses mains flottait d'un côté, de l'autre, pointant vers le plafond ou vers le sol. Cependant, elle finit par se braquer dans la direction de l'inconnu — et donc de Caroline.

Au loin, il y eut une explosion de sirènes. Un instant, Caroline se sentit soulevée d'espoir, puis la terreur la saisit de nouveau. La situation était déjà affreusement instable ; si une horde de policiers débarquait au galop — son mari en tête —, l'inconnu allait perdre la tête.

— Tu as fait du mal à ma maman, accusa Jeb. Comme mon papa.

Elle sentit le jeune homme se figer un instant. Il expira longuement, et sa main serrée sur le couteau se détendit un peu.

— C'est toi, le gosse qui n'y voit rien ?

Jeb ne répondit pas, et n'abaissa pas son arme.

— Qu'est-ce que tu comptes faire, au juste ? Me tirer dessus ? Tu ne me vois même pas !

Il se mit à rire et s'avança vers le petit garçon, en poussant Caroline devant lui.

— Allez, dit-il sans méchanceté. Donne-moi ça.

Les joues de Jeb se gonflèrent, il respirait à petits halètements rapides.

— Jeb, s'il te plaît…, murmura Caroline.

Le pauvre petit ne pouvait rien pour elle, il ne réussirait qu'à se mettre lui-même en danger.

— Non ! hurla Jeb.

Comme l'inconnu poussait encore Caroline vers lui, il tendit l'arme à bout de bras. Sans avertissement, elle se sentit poussée violemment de côté. Etourdie, elle retrouva pourtant très vite son équilibre. Jeb… Il fallait atteindre Jeb ! Le garçon reculait, les yeux écarquillés, l'arme oscillant d'un côté, de l'autre, tandis qu'il essayait de comprendre comment sa cible s'était dédoublée.

Les sirènes hurlantes s'engouffrèrent dans la cour, les voitures freinaient en dérapant sur le gravier, et Caroline et l'agresseur se jetèrent tous deux vers le petit garçon. L'explosion d'un coup de feu, incroyablement bruyante pour une si petite arme, retentit dans la pièce.

— Qu'est-ce que vous fichez ? lança le shérif. Vous êtes fou ?

Sans répondre, les yeux braqués sur la maison, Matt cherchait à se dégager des bras solides qui le ceinturaient. L'homme qui le retenait devait être à moitié pieuvre : chaque fois qu'il détachait une main, une autre l'agrippait. Il mit une minute entière à comprendre que deux assistants avaient rejoint leur chef, et qu'ils étaient trois à le retenir. Le reste de l'équipe s'était accroupi derrière le capot des voitures, armes braquées sur la maison.

La maison de Caroline… Caroline et Hailey se trouvaient à l'intérieur. Matt se remit à se débattre.

— Il faut que j'y aille.

— Et puis quoi encore ! Vous ne savez pas dans quoi vous vous lancez !

Matt regarda la voiture de Caroline garée à l'angle de la maison, le pick-up bleu mal caché derrière un bosquet en bas de la colline. Son estomac se convulsa.

— J'ai une idée assez claire.

— Alors calmez-vous, et expliquez-moi.

Matt repoussa de toutes ses forces les hommes qui le retenaient.

— Nom de Dieu, vous n'avez pas entendu ? On a tiré, et ma famille est à l'intérieur !

— Vous ne pourrez rien faire pour eux si vous êtes mort !

La porte de la maison claqua, soulignant sèchement le dernier mot. Matt se retourna d'un bloc vers la véranda, dévorant la scène des yeux comme s'il pouvait protéger Caroline à distance, par la seule force de sa volonté. Elle se tenait devant la porte, parcourant du regard la ligne des policiers. Elle se tordait les mains ; une balafre écarlate tachait la manche de son chemisier blanc, près de l'épaule.

— Caroline ! cria-t-il.

Une fois de plus, les assistants durent le retenir. Le regard de Caroline le trouva, et elle fit un effort pour se tenir bien droite.

— Matt, reste où tu es !

Matt repoussa un des hommes, mais aussitôt deux autres se jetèrent sur lui. Tout en cherchant à les tenir à distance, il lança :

— Marche vers moi, Caroline. Viens, mets-toi à marcher, tranquillement.

— Je ne peux pas, Matt. Il... Il a Hailey.

Jetant un regard furtif à la porte moustiquaire derrière elle, elle ajouta :

— Et aussi Jeb, et les Johnson. Je ne peux pas m'en aller.

236

Pris de court, Matt oublia de lutter. Tout de suite, les hommes le lâchèrent, prudemment, sans s'écarter pour autant.

— Dis à ce fumier que je veux lui parler, dit-il plus calmement.

Caroline se tourna de nouveau vers la porte, sans doute pour écouter des instructions. Accroupi près de Matt, le shérif martelait à mi-voix des ordres dans son talkie-walkie.

— Couvrez toutes les issues. Tenez-vous prêts à entrer, mais ne bougez pas avant que je ne vous donne le feu vert. Je veux des micros. Fixez-en à toutes les fenêtres. Tout de suite. J'étripe le premier qui se fait repérer ! Et les tireurs, qu'est-ce qu'ils fichent ? Je les veux en position. L'incendie a grillé les téléphones, il va falloir trouver une autre façon de communiquer.

Il se tut, écouta un instant, puis répondit :

— Je sais bien. Il faut trouver un moyen de faire entrer un talkie-walkie là-dedans.

Là-bas, sous la véranda, Caroline s'adressait à eux en secouant la tête.

— Il dit qu'il ne veut pas parler.

Le visage de Matt était si crispé qu'il lui faisait mal. Le négociateur en lui savait quelle question il devait poser, mais le mari et le père redoutait tant la réponse !

— Qu'est-ce qu'il veut, Caroline ?

Elle écouta encore quelques instants, puis se retourna. Son regard le bouleversa.

— Il veut te faire du mal, répondit-elle, si bas qu'il l'entendit à peine. Il veut te faire souffrir comme il a souffert. Il veut tuer ta famille.

15.

Accroupi près de la chaise de Caroline, dans la cuisine
où le jeune fou les avait tous entraînés, M. Johnson fixait
un tampon de gaze sur la déchirure au bras de Caroline.
Un instant, il crut que ses vieilles jambes n'auraient pas la
force de le remettre debout, mais il serra les dents, s'appuya
plus lourdement sur sa canne, et parvint à se redresser.

— Par ici, le vieux.

Le jeune homme, qui disait s'appeler J. J., montrait du
bout de son arme le siège près de Mme Johnson. Au son
de sa voix, Jeb se tassa sur lui-même en enfouissant son
visage sous le bras de la vieille dame. Doucement, elle
lui murmura quelque chose en lui tapotant la tête. Pauvre
Jeb ! Caroline se leva à demi, bien décidée à prendre le
petit sur ses genoux. Hailey lui ferait de la place.

A cet instant, on gratta à la porte d'entrée.

J. J. se retourna d'un bond ; M. et Mme Johnson se
raidirent, s'attendant sans doute à voir une légion de
policiers se ruer à l'intérieur. Caroline n'eut pas la même
inquiétude, car elle savait que la police ne donnait l'assaut
que lorsqu'il ne restait pas d'autre option. On privilégiait
toujours la négociation ; avant d'avoir recours à la violence,
on tenterait de convaincre J. J. de sortir. Ce serait à Matt
d'entrer en scène...

De nouveaux grattements secouèrent la porte, et un faible gémissement leur parvint. Jeb haussa le cou, tout excité.

— Alf ! C'est Alf !

Caroline n'eut pas le temps de comprendre ce qu'il voulait faire. Déjà, il s'était laissé glisser du canapé et se précipitait vers la porte.

— Ne bouge plus !

J. J. suivait la trajectoire du garçon du canon de son arme. Car c'était lui qui tenait le pistolet de Savannah, désormais.

— Non ! s'écria Caroline.

Sans réfléchir, elle se jeta devant Jeb, se tassa sur elle-même en attendant l'explosion de douleur, le bruit assourdissant… Il n'y eut pas de coup de feu. Pas cette fois. Derrière elle, les baskets du petit couinèrent sur le lino. Arrêté dans son élan, il hésitait, partagé entre les grattements à la porte et le silence tendu derrière lui.

Elle ouvrit les yeux et son regard plongea droit dans le canon du pistolet. Une arme si petite, et pourtant si mortelle. Elle ne voulait pas mourir, ne pouvait pas faire ça à Hailey et à Matt. Seigneur, que ferait Matt s'il devait élever son bébé tout seul ?

— Ecarte-toi de cette porte, morpion.

Imperméable aux gestes menaçants qu'il ne voyait pas, Jeb s'obstina, protestant :

— Mais Alf…

— C'est un piège des flics.

Un peu remise de sa frayeur, Caroline retrouva la faculté de réfléchir. Un piège ? Peut-être bien, se dit-elle, tandis qu'une poussée d'adrénaline lui faisait battre le cœur. J. J. savait-il qu'entre deux prises d'otages Matt faisait partie de la brigade des maîtres-chiens ? Il pouvait prendre Alf pour un chien ordinaire ; mesurerait-il le danger que représentait la brave bête ? A elle de faire entrer l'animal, histoire de s'assurer un nouvel allié.

— Un piège ? Non, dit-elle, l'air de n'y attacher aucune importance. C'est juste le chien qui veut rentrer.

Elle franchit les deux pas qui la séparaient de Jeb et lui posa les mains sur les épaules. Jusqu'ici, tout allait bien : il l'avait laissée se déplacer sans réagir. Une poussée imperceptible renvoya le garçon, tête basse, vers le canapé. Aussi naturellement qu'elle le put, en se répétant que J. J. n'allait pas tirer, qu'il ne pouvait pas se le permettre, elle tendit le bras, poussa la porte... Alf entra au trot et Jeb, fou de joie, vint jeter ses bras autour de son cou et enfouir son visage dans la fourrure épaisse.

— C'est juste le chien, répéta Caroline en tremblant.

Mais Jeb n'avait pas fini de lui compliquer l'existence. Relevant la tête, il dit avec curiosité :

— Il a quelque chose autour du cou.

A tâtons, il cherchait à défaire le petit sac accroché au collier du chien. J. J. se précipita.

— Donne-moi ça.

Le chien se hérissa, babines retroussées, ses yeux couleur d'ambre fixés sur l'arme dans la main du jeune homme. Horrifiée, Caroline se figea. Alf était dressé pour reconnaître une arme et réagir en conséquence. Il ne devait pas attaquer maintenant, alors que J. J. était sur ses gardes ! Elle ne pourrait pas protéger les autres s'il se mettait à tirer. Les Johnson étaient à découvert, Jeb aussi. Et Hailey, pour l'amour du ciel, Hailey...

Affolée, elle fouilla dans ses souvenirs. A travers des images confuses d'après-midi ensoleillées, d'instructions inlassablement répétées, elle retrouva des bribes de dressage. Pourrait-elle mettre le chien sur ses gardes, tout en lui interdisant d'attaquer ? Glisser l'ordre dans une phrase, sans alerter J. J. ?

— Du *calme*, J. J., dit-elle en insistant discrètement sur le mot qu'elle voulait faire entendre au chien. *Attention* à l'endroit où tu pointes ce pistolet, d'accord ?

Le jeune homme ne tint aucun compte de son intervention, mais il ne sembla pas non plus remarquer ses tentatives maladroites pour contrôler le chien. Arrachant le petit sac de la main de Jeb, il défit le cordon, poussa une exclamation et jeta le contenu sur la table. Une radio. Matt lui avait envoyé un talkie-walkie de la police. Une bouée de sauvetage.

Sombrement, J. J. se mit à arpenter la pièce. Caroline reprit les épaules de Jeb, le poussa en avant.

— Jeb, prends Alf et retourne près de Mme Johnson, murmura-t-elle.

Quand le garçon se trouva près de sa vieille voisine, elle ajouta :

— Maintenant, reste *assis* jusqu'à ce que je te dise le contraire.

Sans discuter, Jeb monta sur les genoux de la vieille dame… et Alf posa son derrière sur le sol comme elle venait de l'ordonner. Sans quitter un seul instant le pistolet des yeux.

Elle sentit l'étau de sa poitrine se desserrer très légèrement. Le chien était dans la place, la radio aussi. L'équilibre se rétablissait un tant soit peu entre les deux camps, et au moins, si J. J. faisait ce qu'il menaçait de faire, Alf protégerait Jeb et ses amis. Maintenant, il fallait trouver un moyen de les sortir de là avant d'arriver au pire. A pas lents, elle revint vers la table, le regard fixé sur le talkie-walkie.

— Il veut vous parler.

— Je parle pas aux flics, moi.

— Il va bien falloir leur parler.

— Je suis pas obligé. Je fais ce que je veux, moi.

Comme pour appuyer ses dires, il brandit le pistolet, mais elle vit que le canon était relevé vers le plafond et pas pointé vers elle.

— Tant que j'ai ça, je fais ce que je veux.

Elle tira une chaise, qui grinça sur le lino, et s'assit lourdement. Si seulement elle avait pu saisir le talkie-walkie et parler à son mari !

— J. J., si vous ne leur parlez pas, ils vont commencer à s'énerver. Ils vont se demander ce qui se passe.

Elle avait été femme de négociateur assez longtemps pour connaître les deux priorités dans une situation de ce type. D'abord, établir un périmètre pour que le sujet ne puisse pas s'enfuir avec ses otages ; ensuite, communiquer. Cette fois, le périmètre ne posait aucun problème : la maison était en rase campagne, et nul ne pouvait s'échapper sans être repéré. Restait le problème de la communication. Matt avait accompli le premier pas en leur faisant parvenir une radio ; à Caroline maintenant de faire parler J. J.

Mais comment ?

— Qu'ils se le demandent, grogna le jeune homme.

Restant bien de côté pour ne pas être vu, il alla regarder par la fenêtre. Prudemment, il écarta le rideau noirci du canon de son pistolet, et se mit à jurer.

— Ils sont trop près… Ces fumiers de flics sont trop près.

D'un geste rageur, il plongea les doigts dans ses cheveux — sans s'apercevoir qu'il y plongeait aussi son arme — et hurla, tout contre la fenêtre close :

— Reculez ! Vous m'entendez ? En arrière !

— Ils n'iront nulle part, J. J. Pas tant qu'ils ignoreront comment ça se passe pour nous.

Dehors, deux silhouettes vêtues de noir traversèrent la pelouse au galop, hors de portée du pistolet mais suffisamment proches pour stresser J. J. C'était sans doute l'effet recherché.

Jurant furieusement, J. J. saisit le bras de M. Johnson et traîna le vieil homme jusqu'à la fenêtre.

— Reculez ! vociféra-t-il en agitant son arme près de la tête de son otage. En arrière !

Caroline bondit sur ses pieds. Par chance, J. J. lui tournait le dos et elle put arrêter d'un geste l'élan de Alf qui se ramassait sur lui-même, prêt à bondir. Le pistolet était tout contre la tempe de M. Johnson !

— Ils ne vous entendent pas, cria-t-elle. Prenez la radio ! Il ne faut pas qu'ils croient que vous allez tirer !

La police n'était pas là uniquement pour négocier, elle le savait trop bien ! Les tireurs d'élite étaient certainement déjà en position. Oh, elle voulait que ce siège se termine, que son bébé et ses amis soient sauvés, mais si possible sans répandre le sang de ce garçon torturé... Et d'ailleurs, une fois qu'on commencerait à tirer, ils seraient tous en danger. Même des tireurs d'élite pouvaient manquer leur cible, et personne ne peut contrôler un ricochet.

— Je vais leur montrer que je ne plaisante pas ! ragea J. J., qui semblait plus effrayé que réellement féroce. Je vais leur montrer !

— Non, J. J. Si vous tuez l'un d'entre nous, n'importe lequel, ils vous abattront.

— J'ai pas peur de mourir, rétorqua-t-il en se tournant vers elle.

Ses yeux disaient le contraire. Pressant les mains sur son cœur affolé, Caroline réussit à parler d'une voix apaisante :

— Je vois bien que vous n'avez pas peur, J. J. Vous ne seriez pas là si vous étiez du genre à paniquer. Mais vous êtes en colère, et vous voulez que Matt sache pourquoi.

Elle dut avaler sa salive pour pouvoir aller jusqu'au bout :

— Si vous nous faites du mal, les flics vous tueront et vous n'aurez pas pu lui dire pourquoi vous lui en voulez. Il ne saura jamais pourquoi vous avez fait ça.

— C'est à cause de lui. A cause de ce qu'il a fait !

— Alors dites-le-lui ! Prenez la radio et balancez-lui tout ce que vous avez sur le cœur.

Le jeune homme fixa la radio avec une expression d'horreur.

— C'est un piège… Il va me faire tourner en bourrique. Comme mon père.

— Mais non, il ne peut rien vous faire. C'est juste un moyen de lui parler.

— Je… Je ne peux pas.

L'incertitude du jeune homme et sa terreur étaient palpables. Caroline décida de prendre les choses en main.

— Il faut que quelqu'un le fasse, dit-elle. Quelqu'un doit leur dire ce que vous voulez.

Elle retourna s'asseoir et, lentement, tendit la main vers le boîtier noir posé au centre de la table. Les yeux fous de J. J. suivirent son geste, mais il ne fit rien pour l'arrêter. Il suffisait qu'elle prenne l'appareil, se dit-elle ; elle enfoncerait le bouton, elle parlerait à Matt, et la négociation pourrait commencer. Sa vie et celle de Hailey seraient entre ses mains. Curieusement, l'idée était réconfortante.

Sa vie était entre les mains de Matt Burkett depuis ses quinze ans.

L'attente était insupportable ! La porte s'était ouverte pour faire entrer le chien et depuis, rien : pas un mot, pas un signe. Pourquoi ne lui parlaient-ils pas ?

L'appareil crépita. S'arrachant à la panique dans laquelle il sombrait, Matt bondit pour le saisir, le pouce sur le bouton qui lui permettrait de parler. Les principes de base de la négociation défilèrent dans son esprit et il les rejeta tous. Il donnerait au preneur d'otages tout ce qu'il demanderait. Tout, sauf sa famille.

Il ne pouvait pas se permettre de perdre les pédales maintenant, pas quand J. J. était enfin prêt à parler. Pourtant, ce ne fut pas sa voix qui s'éleva du haut-parleur, mais celle de Caroline. Une voix calme, posée. Pas du tout la voix d'une femme retenue de force dans sa maison incendiée par un adolescent instable, armé et assoiffé de vengeance.

— Matt ? demanda-t-elle. Tu es là ?

Dieu bénisse Caroline ! Elle, au moins, elle tenait le choc. En pressant le bouton pour lui répondre, il vit que les policiers autour de lui baissaient les yeux, détournant la tête, s'efforçant de faire oublier leur présence pendant cet échange entre mari et femme.

— Je suis là, Caroline.

Puis, écartant tout ce qu'il avait envie de lui dire depuis plus d'un an, il trouva la force de jouer son rôle.

— Passe-moi J. J.

— Il n'est pas encore prêt à te parler…

Il sentit une sueur froide couvrir sa poitrine.

—… mais il veut que tu saches que tout le monde va bien.

Matt retint le rire dément qui le prenait à la gorge. Il doutait fort que J. J. Hampton voulût une telle chose ! J. J. ignorait que, s'il ne commençait pas à négocier à brève échéance, la police finirait par donner l'assaut. Il ne savait pas non plus combien cet assaut serait dangereux pour tout le monde. Caroline savait, et elle prenait sur elle d'éviter le pire. Le courage de sa femme fit monter en lui une nouvelle vague d'émotion.

— Tu saignes, protesta-t-il d'une voix étranglée, hanté par l'image de sa manche rougie lorsqu'elle était sortie, quelques instants plus tôt.

— Ce n'est rien du tout… Un accident.

Matt s'interdit de réagir. Si le jeune homme l'entendait exprimer ce qu'il pensait de ce prétendu « accident », il se sentirait trop menacé. Il s'obligea à prendre une voix conciliante pour proposer :

— On pourrait vous envoyer une trousse médicale.

Caroline ne répondit pas tout de suite. Il l'imaginait en train de regarder J. J. furtivement, pour jauger sa réaction. Cette réaction dut être véhémente, car, lorsqu'elle répondit, il sentit qu'elle le suppliait d'être patient.

— Non, non, pas de problème. Ce n'est pas grave du tout. Nous sommes bien…

— Il n'y a rien de bien dans cette histoire…

Il s'interrompit, et fit un effort violent pour rentrer dans la peau de son rôle. Il devait amener J. J. à communiquer, trouver quelque chose, en dehors de son idée fixe de vengeance, pour l'amener à la table des négociations. Pour établir un climat d'échange et de confiance. Insensiblement, il devait amener J. J. à s'en remettre à lui.

— Bon, soupira-t-il. On a tous besoin d'un peu de temps pour se calmer. Vous n'avez pas chaud, enfermés là-dedans ? Ça vous dirait, des sodas bien frais ?

Encore un silence, puis la voix de Caroline :

— Il veut autre chose que des sodas, Matt.

Il sentit son cœur se mettre à battre sourdement. Ça y était… Et plus vite qu'il ne l'aurait cru. Le preneur d'otages était prêt à négocier. Renversant la tête en arrière, il ferma à demi les yeux et demanda très bas :

— Qu'est-ce qu'il veut, Caroline ?

— Que les flics dehors prennent du champ. Ils sont trop près.

Aïe ! Il ne fallait surtout pas que le jeune homme s'intéresse à ce qui se passait à l'extérieur… En cet instant même, des policiers rampaient tout autour de la maison, occupés à fixer des micros et des caméras minuscules à chaque fenêtre. Bientôt, Matt pourrait entendre tout ce qui se disait à l'intérieur, voir dans presque toutes les pièces. A moins que J. J. ne s'aperçût qu'on le surveillait !

— Je peux probablement faire quelque chose, dit-il très vite.

L'un des assistants, près de lui, s'écarta de quelques pas et se mit à parler à mi-voix dans une autre radio. Matt échangea un regard avec lui, approuva de la tête, et dit dans son propre appareil :

— Pour lui montrer notre bonne volonté, je vais leur demander de reculer. Une cinquantaine de mètres, ça ira, J. J. ?

Il n'attendait pas vraiment une réponse de sa part, mais il était important de s'adresser directement au jeune homme.

— Vous savez, précisa-t-il, ce serait plus facile si vous montriez aussi un peu de bonne volonté…

Pour la première fois, Caroline sembla hésiter. Il y eut un silence, puis elle répéta :

— Il dit qu'il faut qu'ils reculent.

— Je fais de mon mieux, répliqua Matt de sa voix la plus sincère. Seulement voilà, il y a des policiers auprès de moi qui n'apprécient pas beaucoup cette idée. Ce n'est pas mon secteur, et je n'ai aucun pouvoir de décision ici. Il faut autre chose qu'un ordre de ma part pour les convaincre. Il faudrait que J. J. fasse quelque chose pour les rassurer un peu.

Un nouveau silence, qui sembla durer une éternité. Enfin, la voix déformée de Caroline crépita dans le haut-parleur :

— Il veut savoir ce que tu demandes.

Une bouffée de chaleur explosa dans sa poitrine. Enfin ! Il le tenait ! Maintenant, il fallait tirer le poisson hors de l'eau, lentement, avec d'infinies précautions. Il s'interdit de précipiter les choses.

— Il a cinq personnes avec lui, dit-il en faisant semblant de réfléchir. Ça ne lui retirerait rien de laisser partir l'un de vous…

Le nom de Hailey était sur ses lèvres, mais il se retint de le prononcer. Hailey et Caroline étaient les seules auxquelles J. J. tenait vraiment, et il n'y avait aucune chance pour qu'il acceptât de les relâcher. Du moins pas encore. Une négociation réussie partait des petits échanges pour aboutir aux grands : Hailey et Caroline seraient les pièces de résistance.

Des petits échanges… Le choix était évident. Malgré son envie terrible de libérer sa famille, il demanda Jeb. Jeb, qui avait déjà connu trop de violence dans sa courte vie. C'était mieux ainsi, se répéta-t-il en regardant le petit descendre les marches de la véranda en se tenant au collier de Alf, comme Matt le lui avait appris. Il poussa un juron sourd. Pourquoi Caroline n'avait-elle pas gardé le chien ? Alf aurait pu l'aider, en cas de coup dur… Mais il n'y aurait pas de coup dur, parce qu'il allait les sortir de là. Tous !

Il reprit le talkie-walkie.

— C'est bien, J. J., très bien. Les flics se sentent beaucoup mieux maintenant. Ils vont reculer.

Tout autour de lui, les voitures de police démarraient, reculaient lentement, prenaient de nouvelles positions cinquante mètres plus loin. Il suivit le mouvement, marchant lentement à reculons, talkie-walkie à la main. Un assistant venait d'intercepter Jeb, qui se débattait comme un beau diable. Levant le bras, il lui fit signe de l'amener vers lui.

— Tout va bien, Jeb. C'est Matt. C'est moi.

Il le prit dans ses bras ; le petit s'agrippa à lui comme un chaton terrorisé.

— Il est méchant ! Il est méchant !

Des poings minuscules lui martelaient le dos avec une force surprenante.

— Chut, murmura-t-il en caressant la petite tête crépue pressée contre la sienne. Oui, je sais. Je sais qu'il est méchant. Je vais m'occuper de lui. Toi, ça va ?

La fureur de Jeb tomba d'un seul coup, et il fondit en larmes.

— Ça va...

— Je suis content.

— Mais j'ai fait mal à Caroline ! Je lui ai tiré dessus !

Matt se figea, horrifié. Jeb leva vers lui ses yeux gonflés et ruisselants.

— Je voulais pas. Je voulais la protéger. J'ai pris le pistolet de maman. Mais je voyais rien...

Matt lui cala la tête au creux de son épaule.

— Chut, répéta-t-il. Elle n'a rien de grave. Je l'ai vue, moi. Ce n'est pas ta faute. Rien de tout ça n'est ta faute.

Il serra le garçon contre lui, le berça doucement. Dès qu'il le sentit plus calme, il lui demanda de rejoindre les policiers et de leur dire tout ce qu'il savait sur la situation à l'intérieur. Il n'espérait pas obtenir beaucoup d'informations utiles, mais il fallait tout de même essayer.

Le temps passa. Des minutes, puis des heures. Il ne se passait plus rien. Les micros et les caméras étaient en place mais il n'y avait rien à voir, rien à entendre. Vers minuit, il obtint la libération des Johnson très facilement, en échange de deux grandes pizzas et d'une caisse de soda. C'était encore un pas en avant, mais cela ne réglait pas le vrai problème. J. J. n'avait pas encore dit un mot, et Caroline et Hailey étaient toujours prisonnières. Elles attendaient qu'il les sauve.

Depuis deux heures, adossé à une voiture de police, il parlait dans son appareil, sans cesse, de tout et de rien — un policier le ravitaillait en bouteilles d'eau de source. Il avait les yeux brûlants, la gorge douloureuse, mais il n'obtenait plus aucun résultat. J. J. avait tout ce qu'il voulait pour l'heure, et il ne se manifestait plus.

Au moins, Matt pouvait communiquer avec Caroline...

— Tu es toujours là, Caroline ?

— Ce n'est pas comme si je risquais d'aller quelque part...

Il sourit à demi. Quand avait-elle cessé d'être la fille timide d'autrefois, quand s'était-elle transformée en une femme aussi solide et sûre d'elle ? Depuis quand sa protégée était-elle devenue sa protectrice ? La réponse lui vint dans un éclair de douleur. La mort de son fils unique, le retrait de l'homme qu'elle aimait, le fait de se retrouver enceinte d'une enfant dont son mari ne voulait pas... Cela vous changeait une femme. Elle avait fait son chemin toute seule, elle était parvenue à s'en sortir. Comment avait-il pu se tromper à ce point ? S'il ne faisait rien d'autre de sa vie, il devait réussir à lui dire qu'il s'était trompé.

— Et Hailey ? demanda-t-il. Comment est-ce qu'elle s'en sort ?

— Comme une brave, répondit-elle.

Il y avait pourtant de l'inquiétude dans sa voix. Matt se pencha vers l'écran qui lui montrait l'intérieur de la cuisine. Tout semblait calme. J. J. marchait de long en large mais c'était un mouvement régulier, pas la fuite en avant d'un homme qui craque sous la pression. Caroline était assise à table, Hailey dans les bras ; le bébé s'agitait, se plaignait d'une voix grêle.

— Elle a faim, dit-il.

— Elle aurait dû avoir sa tétée depuis un bon moment.

Pendant qu'il se trouvait bien en sécurité à l'extérieur, sa petite fille souffrait de la faim. Matt ravala sa culpabilité pour se concentrer sur ce nouveau problème. Plus Hailey attendait, plus elle serait bruyante. Pourrait-il s'en servir pour obtenir sa libération ? A moins que l'irritation ne poussât J. J. à la faire taire par ses propres moyens...

— Fais-la manger, dit-il, en repoussant les images atroces qui lui venaient à l'esprit.

— Je... Je ne peux pas.

— Il n'y a pas de pudeur qui tienne, Caroline. Retourne ta chaise et fais ce que tu as à faire.

A l'écran, la petite silhouette de Caroline se leva, empoigna le dossier de sa chaise et la fit pivoter vers le mur.

— Arrête ça ! hurla J. J. d'une voix si aiguë que Matt faillit crier à son tour.

A l'écran, le pantin qui était J. J. se précipita vers Caroline, le bras tordu pour lui braquer son pistolet en plein visage.

— Fais ce que je te dis ! Assieds-toi ! Personne ne va nulle part !

— Je le fais. Je m'assieds.

Très, très lentement, Caroline se retourna, présentant la joue au canon du pistolet... puis elle s'assit sur la chaise dans sa nouvelle position, face au mur. Avec une prudence infinie, elle continua à pivoter jusqu'à ce que l'arme se trouvât derrière elle, et son corps entre Hailey et le danger.

— Je me tourne juste pour nourrir mon bébé. Tu ne vas pas m'abattre parce que je nourris mon bébé ? dit-elle sur le ton de l'évidence.

Paralysé, le visage tordu de rage, J. J. semblait incapable de décider ce qu'il devait faire. Il brandit son arme, l'abaissa lentement vers la nuque offerte de son otage.

— Non ! hurla Matt.

Les doigts gourds, il chercha le bouton de sa radio, mais avant qu'il pût parler, Caroline souleva son chemisier. Le visage de J. J. se décomposa, sa rage se mua en panique. En épouvante, même ! Les yeux écarquillés, il bondit en arrière, alla se heurter au plan de travail et se retrouva assis sur les talons. Dans un autre contexte, sa réaction aurait été comique. Un adolescent confronté à la réalité de l'allaitement !

Cependant, Matt pouvait à peine respirer ; sa main restait crispée sur sa radio comme s'il allait la broyer. A l'écran, Caroline prit Hailey contre elle. La petite se tut, et le monde entier fit silence. Même les policiers qui allaient et venaient autour de lui s'immobilisèrent un instant, tandis que les micros ultrasensibles relayaient les doux bruits de Hailey en train de téter. Sa petite fille…

Les mains tremblantes, Matt approcha le talkie-walkie de sa bouche. Il s'en était fallu de peu ! Il devait venir à bout de cette situation, au plus vite, avant qu'elle ne dégénère… Il allait se servir de cette occasion pour passer à l'étape suivante : le contact direct avec le preneur d'otages.

— J. J., je sais que vous m'entendez. Caroline va être occupée pendant un petit moment, elle ne pourra pas parler pour vous. On continue entre nous ?

Il attendit, devinant qu'il n'y aurait pas de réponse, incapable de s'empêcher d'espérer malgré tout.

— Vous devez être fatigué. Ça fait longtemps que vous êtes enfermé là-dedans. Vous pourriez peut-être me dire ce que vous cherchez. Pourquoi vous êtes venu.

Matt retint son souffle. A l'écran, J. J. venait de saisir l'appareil ; il se tournait vers la fenêtre, presque comme s'il savait qu'une caméra le filmait. Resserrant le plan, Matt découvrit ses yeux vitreux de fatigue, son visage tiré.

— Vous savez ce que je veux.

Le cœur de Matt trembla. Il ne parvenait plus à trouver suffisamment d'oxygène.

— Moi, riposta-t-il, le souffle court. Vous voulez me faire du mal à moi, pas à elles.

— Je veux vous prendre ce que vous m'avez pris. Ma famille.

J. J. se remit en marche. Ses pas nerveux résonnaient dans le haut-parleur comme un tic-tac d'horloge. Le temps passait, la vie s'écoulait… Il secoua la tête pour tenter de s'éclaircir les idées.

— Tu veux faire justice, observa Matt.

— Ouais…

— Tuer des innocentes pour le crime d'un autre, ça te semble juste ?

J. J. s'arrêta court, et ses sourcils se froncèrent.

— Tu as tué mon père ! Il n'avait rien fait. Il n'avait jamais fait de mal à personne !

Matt s'accorda trois secondes pour repousser la culpabilité qu'il ressentait encore. Si J. J. percevait cette culpabilité, elle ne ferait que renforcer son point de vue.

— Tu étais là, tu as vu ce qui est arrivé à ton père, dit-il. Il a foncé sur ces flics en sachant qu'il n'avait aucune chance. Il voulait mourir. Il y a même un nom pour ce qui s'est passé : on appelle ça le suicide par flic interposé.

— Je t'ai entendu l'enfoncer ! cria le garçon d'une voix aiguë. Tu l'as mis au pied du mur ! Tu lui as fait croire qu'il n'avait plus d'autre solution.

— Je l'ai empêché de faire du mal à quelqu'un d'autre. Je l'ai empêché de te faire du mal, à toi !

Mauvaise tactique. Ne jamais se mettre sur la défensive. Plus calmement, il reprit :

— Il s'est tué, J. J. Personne ne l'a forcé à le faire.

— Il ne s'est pas tué !

Radio dans une main, pistolet dans l'autre, J. J. explosait littéralement, allant et venant comme un furieux, lançant un coup de pied violent dans une chaise vide. S'essuyant le nez du dos de la main qui tenait son arme, il se jeta dans la direction de Caroline. Dans un réflexe protecteur, celle-ci se voûta sur le corps de son bébé ; il passa tout droit sans même sembler les voir.

— Il n'aurait pas fait ça ! criait-il. Pourquoi est-ce qu'il aurait fait ça !

— Parce que sa vie lui échappait et qu'il ne savait pas comment la récupérer.

— C'est dingue ! Il ne se serait pas tué pour ça. Il avait…
des problèmes, mais il n'était pas fou.

— Non, il avait mal, c'est tout.

— Beaucoup de gens ont mal, ils ne se tuent pas ! Mon
père ne se serait pas tué si vous n'aviez pas tout retourné
dans sa tête. En face de vous tous, il s'est senti minable.
Il s'est senti coupable et il n'avait rien fait du tout !

Ce n'était tout de même pas rien de se barricader dans
une maison en menaçant de tuer ses enfants ! Plutôt que de
lui dire cela, Matt chercha à lui faire saisir la souffrance
à laquelle il avait assisté sans la comprendre.

— Beaucoup de gens ont mal, oui, mais c'est différent
quand on perd ses gosses… C'est insupportable. Je savais
comment c'était, pour ton père, et je voulais l'aider.

Tout raide, J. J. pivota sur lui-même.

— Tu ne comprends rien du tout ! Ne me dis pas que tu
savais ce qu'il resentait. Tu ne pouvais pas savoir.

Un instant, Matt en resta bouche bée. J. J. pensait qu'il
ne savait pas ce que cela faisait à un homme de perdre son
enfant ? Ce que c'était que de souffrir ? Matt aurait pu lui
faire un cours sur la souffrance — mais il ne le ferait pas.
Quand on souffrait, c'était en privé, derrière des murailles
impénétrables. On endurait seul, en silence ; le reste du
monde ne devait rien voir.

Si jamais J. J. faisait du mal à Caroline et Hailey, voilà
où il retournerait. A cette idée, il sentit un ébranlement
sourd de tout son être. Les murailles qu'il avait dressées
autour de sa souffrance vacillèrent, commencèrent à s'effriter. Sa vie, ou ce qui en restait, allait s'effondrer autour
de lui. Il trébucha, faillit tomber et se retint au capot de
la voiture.

Quand le vertige passa, tout était clair. Ce gamin de
seize ans voulait tuer sa famille et il n'y pouvait stricte-

ment rien. Ni sa force, ni son habileté, ni sa volonté ne pourraient l'arrêter. En revanche, sa faiblesse pourrait peut-être changer quelque chose.

Il allait devoir faire comprendre à J. J. certaines choses, des choses qu'un garçon de son âge n'avait pas à savoir. Pour cela, il devrait démolir ses murailles et montrer ses blessures au monde entier — ou tout au moins à J. J., à Caroline et à deux douzaines de flics autour d'une vieille ferme. Reprenant son talkie-walkie, il enfonça le bouton, et chercha désespérément ce qu'il pourrait dire. Pour faire la lumière sur des vérités enfouies depuis si longtemps, il devait commencer par les regarder en face, en espérant que cela pousserait J. J. à voir ses propres vérités.

Il mit plusieurs secondes à retrouver sa voix.

— J. J.... Tu crois que je ne pouvais pas comprendre ce qu'a ressenti ton père en te perdant, ou comment ça pouvait lui faire mal au point d'avoir envie de mourir... mais je sais.

Il s'éclaircit la gorge, se prépara à s'ouvrir les veines.

— Je sais parce que je suis passé par là. J'ai voulu la même chose.

16.

[texte partiellement effacé en haut de page]

— Dis donc, reprit-il au bout d'un bref silence, tu as dû faire un sacré boulot pour me retrouver ici. Pour retrouver ma femme et ma fille…

— J'ai posé des questions, les gens m'ont dit ce que j'avais besoin de savoir.

— Ils t'ont dit que j'avais aussi un fils ?

— Tu es un sacré caïd, le flic. Tu as vraiment tout.

— Non, répondit Matt. Plus maintenant. Quand mon fils avait onze ans, on s'est aperçu qu'il avait une leucémie. A douze ans, il est mort.

J. J. s'immobilisa en contemplant la radio d'un air outré, comme si Matt venait de lui lancer un mot incongru. Matt ne se laissa pas décourager par son silence, car il avait l'habitude de parler pour deux. Il fit un effort pour desserrer ses mâchoires, si crispées qu'elles craquaient comme du bois sec. Le moment était venu de lâcher ses émotions, de les laisser s'envoler comme des cendres au vent.

— Il s'appelait Brad, dit-il. Il tenait la première base dans son équipe de base-ball, mais en fait il aurait aimé être lanceur. Il était bon en maths, mais complètement nul en orthographe.

A l'écran, il vit le grand garçon trop maigre se remettre à marcher de long en large. La tension le gagnait. Talkie-walkie en main, sueur au front, il se déplaçait à pas plus courts, plus fébriles. S'il ne semblait pas saisir ce que Matt cherchait à lui dire, il vit en revanche que Caroline comprenait parfaitement. Yeux clos, Hailey blottie dans ses bras, elle levait vers lui un visage rempli de douceur. Il sut qu'elle voyait Brad, comme il le voyait aussi chaque fois qu'il prononçait son nom... Combien de fois s'était-il tourné vers ses souvenirs pour adoucir sa douleur ?

Le visage de Caroline à l'écran ne semblait pas souffrir. S'il avait dû définir son expression, Matt aurait choisi des mots comme... *contentement*. Et tandis qu'il la regardait, il se passa une chose extraordinaire. Le coup de poignard qu'il attendait, le coup qui le transperçait chaque fois qu'il pensait concrètement à Brad... ne vint pas. A la place, une chaleur tendre courait dans ses veines, un sentiment voisin de ce qu'il lisait sur le visage de Caroline l'envahissait. Pour la première fois, il pouvait chérir le souvenir de son fils sans s'arracher le cœur. Il pouvait parler de lui, et c'était bon de parler.

— Ce n'était pas un gamin parfait, loin de là, poursuivit-il. Il avait un sale caractère quand il était fatigué, et il détestait perdre.

Il parlait d'une voix presque rêveuse, son esprit piochant au hasard dans le fleuve des souvenirs.

— Mais il avait bon cœur. Quoi qu'il fasse, il se donnait à fond.

Même quand il s'agissait de lutter contre le cancer. Bien que cela n'eût pas suffi... Refusant de suivre ce chemin qui le ramenait dans l'ombre, Matt chercha d'autres mots. Il n'était pas là pour énumérer ses échecs personnels mais pour aider J. J. à comprendre son père et son désir de néant. Comment exprimait-on un sentiment aussi dévastateur ?

Une émotion aussi immense ? Il lutta pour trouver les mots justes.

— Quand quelqu'un que tu aimes à ce point t'est retiré, c'est comme s'il n'y avait plus de couleurs nulle part. Tout est gris, le temps s'arrête. Tes projets n'ont plus aucun sens, et le passé fait trop mal quand tu y penses. C'est comme si tu n'arrêtais pas de revivre la même journée grise.

J. J. montra les dents. Comprenait-il les paroles de Matt ? Vivait-il lui-même dans ce monde monochrome, depuis la mort de son père ?

— Tu crois peut-être que tu vas me faire pleurer ?

— Non. Je n'ai pas besoin que tu me plaignes.

— Ton gosse est mort parce qu'il était malade. Ce n'était la faute de personne.

La faute de personne. Combien de fois avait-il entendu cela, sans jamais le croire ? J. J. continuait à cracher des paroles furieuses, hachant ses mots comme s'il mordait.

— Mon père est mort à cause de *toi* !

— Ton père est mort parce qu'il ne voulait plus vivre. C'est ce qui arrive quand on perd tout. On finit par se perdre soi-même.

— Tu ne sais pas ! Tu ne sais rien du tout !

Le garçon tenait la radio comme s'il cherchait à la broyer entre ses mains.

— Si, je sais. Je te dis que je suis passé par là.

— Tu...

Les yeux de J. J. se braquèrent, menaçants, en direction de Caroline.

— Tu n'avais pas tout perdu. Tu les avais encore, elles.

— Non, répliqua Matt calmement.

Si J. J. ne croyait rien d'autre, il devait au moins croire cela.

— Non, je les avais perdues, elles aussi. Je les avais repoussées. Comme ton père vous a repoussés, toi, ta sœur et ta mère.

— Il… ne nous a pas repoussés. On l'a quitté. Ma mère nous a obligés à le quitter.

— Pour vous protéger. Pour le protéger, lui. Comme ma femme est partie pour me protéger.

Quand avait-il compris cela ? Il ne le savait pas lui-même.

— Elle est partie parce qu'elle savait que ça me démolirait de mettre au monde un nouvel enfant, quand je ne pouvais penser à rien d'autre qu'à celui que j'avais perdu. Je croyais que je ne méritais pas d'avoir un autre enfant, comme ton père croyait qu'il ne vous méritait plus.

— Mais je… pourquoi ? haleta J. J. Pourquoi est-ce qu'il aurait… pourquoi est-ce que tu as pensé ça ?

— C'est ce que pense un homme quand il perd ce à quoi il tient le plus. Il pense qu'il ne mérite pas ce qui lui reste. S'il a encore une femme ou des enfants à aimer, il est certain qu'il ne mérite pas d'être aimé en retour.

— Moi, je l'aimais, mon père.

— Je le sais. Il t'aimait aussi, à sa façon.

— Il ne méritait pas de mourir !

— Non.

Pour la première fois, le garçon semblait perdre pied. Il y avait une nouvelle note dans sa voix, hésitante, incertaine.

— Avec Jasmine, on voulait juste que tout redevienne comme avant. On voulait être tous ensemble. Je n'ai jamais voulu… ça.

Au fond de Matt, il y eut comme un signal d'alarme. Son intuition de policier venait de se mettre en éveil.

— Ton père a fait son choix, dit-il.

— Non.

— Si. Ce n'est pas si dur à comprendre, si on réfléchit bien. Même si on n'est pas d'accord avec sa solution. Il était comme moi, il pensait qu'il n'y avait plus d'avenir, et le passé faisait trop mal… Tu l'as entendu, il a dit qu'il vivait dans le désert.

— Non ! Tu ne comprends pas.

— Je comprends, je t'ai déjà dit pourquoi. Et je crois que, toi aussi, tu comprends. Bien mieux que tu ne devrais, à ton âge.

— Non ! répéta le garçon d'une voix presque suppliante.

— Tu es presque un homme, assez grand pour savoir ce que c'est que l'amour, et pour mesurer le genre de chagrin dont je te parle. Tu le ressens en ce moment. Il faut que tu comprennes aussi que tu n'es pas responsable des choix de ton père.

J. J. tremblait comme une feuille, les tendons de son cou saillant comme des câbles.

— Mais si ! Mais si, c'est moi ! Il n'a pas choisi de venir au Texas, je l'ai fait venir. Je lui ai dit… je lui ai dit que ça n'allait pas. Il est venu parce que je le lui ai demandé !

Chez Matt, l'alarme intérieure s'était transformée en une véritable sirène. James Hampton était venu parce qu'il pensait que ses enfants avaient besoin de lui, et il en était mort. Seigneur, quelle culpabilité pour J. J., même si ce n'était pas réellement sa faute !

— Ton père est peut-être venu parce que tu l'as appelé, J. J., mais ce n'est pas de ce choix-là que je te parle.

Dans son désespoir, J. J. perdait son aura dangereuse pour redevenir un tout jeune garçon. Un instant, il regarda droit dans la petite caméra montée sur l'appui de la fenêtre ; ses yeux malheureux plongèrent dans ceux de Matt.

261

— Ton père a décidé de mourir, J. J.

L'adolescent ouvrit la bouche comme pour protester, mais Matt le coupa :

— Il t'a pris en otage en espérant que la police s'en chargerait à sa place, mais je l'ai convaincu de te relâcher. Une fois qu'il n'a plus eu d'otages, il a compris qu'il allait devoir leur forcer la main. C'est là qu'il a chargé le barrage. C'était sa décision, ce n'était pas ta faute. Ni la mienne, ajouta-t-il avec plus de difficulté.

Le visage de J. J. se tordait, sa bouche articulait des mots sans suite. Déformée par le haut-parleur, sa voix finit par grincer :

— J'aurais dû pouvoir le sauver.

— Et moi, j'aurais dû pouvoir sauver mon fils, répondit Matt. Quelquefois, ce n'est tout simplement pas en notre pouvoir.

Avec un détachement bizarre, il regardait la radio trembler dans sa main. Une larme roula le long de sa joue, suivie d'une autre, puis d'une autre. Balayant tous les barrages, un flot continu coula sur son visage.

— Quelquefois, c'est plus grand que nous. On n'y peut rien, on ne peut rien contrôler, rien empêcher, et on donnerait n'importe quoi pour pouvoir le faire. Quelquefois…

Il avait l'impression de se désagréger sur place. Il se sentait tomber en morceaux, se dissoudre !

— Quelquefois, on ne peut plus rien faire d'autre que renoncer à nous en vouloir, ou à en vouloir aux autres et… bon sang, accepter ce qui est parti. Et nous concentrer sur ce qui nous reste.

Sur le dernier mot, sa voix se brisa tout à fait. Il pleura de longues secondes en silence, jusqu'à ce qu'un mouvement abrupt sur l'écran le ramenât à lui. De toutes ses forces, J. J. venait de jeter son talkie-walkie contre un mur, le faisant éclater en morceaux. Puis il se jeta sur Caroline, l'arracha à sa chaise et l'entraîna, Hailey dans ses bras. Pendant un instant, ils sortirent du champ des caméras et Matt ne vit plus rien. Puis la porte d'entrée s'ouvrit à la volée. Caroline se tenait sur le seuil, J. J. caché derrière elle. On ne voyait que quelques centimètres de sa tête, et le pistolet rivé au cou de la jeune femme.

— Je n'ai plus rien, maintenant. Il ne me reste plus rien !

Le cœur de Matt cessa de battre. Le temps, qui se traînait à une vitesse d'escargot depuis la mort de Brad, se précipitait tout à coup comme une tornade, emportant les dernières secondes de la vie de sa femme et de sa fille. Celles qu'il contemplait en noir et blanc depuis des heures, il les retrouvait grandeur nature, dans la splendeur de leurs couleurs réelles. L'or sombre et lumineux des cheveux de Caroline. La joue de pêche de Hailey. La rage dans les yeux de J. J.

Sans hésiter, il s'avança en pleine vue, sous les projecteurs qui illuminaient la maison. Le canon de l'arme s'écarta du cou de Caroline… et se braqua droit sur son visage.

Dieu merci… Tant que l'arme le visait, l'adolescent ne pouvait pas l'abattre, *elle*.

Le casque qu'il portait toujours crépitait furieusement, tous les policiers parlaient en même temps. La voix du shérif ordonna furieusement aux autres de se taire et lança à son oreille :

— Qu'est-ce que vous fichez, Burkett ?

Les yeux fixés droit devant lui, Matt avança encore d'un pas en murmurant :

— Je sors ce gosse de là… Qu'est-ce que vous croyez que je fais ?

— Je crois que vous essayez de vous faire tuer.

— Non.

La porte happa tout à coup Caroline et Hailey. J. J. venait de les traîner à l'intérieur. Cette fois, Matt s'arrêta.

— Alors, toutes ces histoires, vous essayez de me dire que ce n'était que de la négociation ?

— Non.

— Bon sang ! s'exclama le shérif. Les tireurs, vous êtes en place ?

— Prêt, répondirent deux voix différentes.

Matt pencha la tête vers le micro fixé à sa chemise pour être sûr que tout le monde l'entendrait.

— Ne tirez pas. Je répète, ne tirez pas. Les otages sont trop près de lui, c'est trop dangereux !

Il ne connaissait pas ces tireurs et leur capacité à réussir un carton difficile. Si encore il s'était agi de l'équipe de Port Kingston… Et puis non, ce n'était pas la vraie raison. Personne ne mourrait cette nuit, ni Caroline, ni Hailey, ni J. J. Hampton. Le cercle de culpabilité et de souffrance allait s'arrêter là, pour eux tous.

Derrière elle, J. J. irradiait une tension insoutenable. A la moindre provocation, il allait exploser.

— En arrière. Partez, ordonna-t-il.

— Tu ne veux pas que je m'en aille, dit Matt en faisant encore un pas vers eux. C'est pour moi que tu es venu ici.

— C'est pour elles ! gronda J. J. en enfonçant le canon de son arme dans la chair de Caroline.

Les yeux de Matt se rivèrent aux siens ; l'espace d'un instant, elle retrouva l'ancienne communication qui les liait, tous les deux. Puis elle s'aperçut d'une chose stupéfiante. Il pleurait ! Son grand dur de mari était en train de pleurer…

— Alors, on a quelque chose en commun tous les deux, disait-il à J. J. Moi aussi, c'est pour elles que je suis venu.

Il n'était plus qu'à deux pas de la véranda. Le visage de J. J. exprimait une confusion totale

— Nous avons encore autre chose en commun, je crois, continuait Matt. Ton père, toi et moi… On sait tous ce que c'est de perdre quelque chose de si important qu'on oublie ce qui nous reste.

— J'ai plus rien, maintenant. A cause de toi.

— Tu as une mère et une sœur.

Matt fit un signe de tête aux policiers derrière lui, et une femme émergea de derrière une voiture.

— J. J., mon chéri ! cria-t-elle. Je t'en prie, arrête tout ça. Pose ton pistolet.

J. J. se détourna d'elle en secouant la tête.

— Elles sont mieux sans moi.

— Ça, c'est la peur qui parle, murmura Matt.

— J'ai pas peur de mourir.

— Non, tu as peur de vivre. Tu as trop perdu, tu te sens trop coupable. Et surtout, tu crois que tu ne mérites pas d'être aimé.

Matt secoua la tête et, tout à coup, il sourit.

— Je sais ce que tu ressens, J. J. La même chose que j'ai senti quand mon garçon est mort. Mais ce n'est pas une raison pour qu'il y ait encore des morts !

J. J. tremblait violemment, arc-bouté contre Caroline. Rêvait-elle, ou la pression de l'arme s'atténuait-elle ?

— Elle… Maman ne voudra plus m'adresser la parole, maintenant.

— Peut-être. Si ton amour pour toi est vraiment mort.

Matt parlait à J. J. mais il regardait Caroline. Un dernier message, au cas où cela tournerait mal.

— Je ne crois pas que son amour soit mort, J. J. On le voit dans ses yeux. Mais elle a mal, elle aussi, et elle a peur.

Ce fut au tour de Caroline de sentir une larme rouler sur sa joue. La main armée du jeune homme s'écarta encore de quelques millimètres.

— Qu'est... qu'est-ce que je fais ?

— Tu lui dis que tu regrettes. Tu lui dis que tu l'aimes, que tu l'as toujours aimée. Si tu as beaucoup de chance, elle te dira qu'elle t'aime en retour.

Caroline ferma les yeux. *Je t'aime, je t'aime*, pensait-elle. De toutes ses forces, elle essaya de transmettre ce message à Matt. Derrière elle, J. J. poussa un énorme soupir. Son coude se souleva un instant, pressant momentanément l'arme dans son cou. Elle se crispa, et attendit... Dans un simple déclic, le chien rentra dans son logement. L'arme n'était plus là. Elle se trouvait dans les bras de Matt, pressée contre son grand corps. Sa présence remplit tous ses sens, et toute son âme.

Ils restèrent longtemps serrés l'un contre l'autre. Quand ils relevèrent la tête, les premiers rayons du soleil rasaient l'horizon.

17.

Chez soi. Ces deux petits mots représentaient tant de choses, pensa Caroline en se garant devant la maison. Tant de souvenirs, tant de rêves greffés sur un assemblage de bois et d'ardoises. Même à demi mangée par l'incendie, cette maison incarnait toujours son passé et son avenir.

Matt avait-il une place dans cet avenir ? Comment avait-il pu penser qu'il n'en avait aucun ? Et comment avait-elle pu ne pas s'en rendre compte ? Elle était sa femme, elle… la pensée se lova doucement autour de son cœur : elle *l'aimait*. Et pourtant, elle n'avait pas perçu la profondeur de son chagrin. Sans doute parce qu'elle était perdue dans le sien ?

Lentement, à bout de forces, elle émergea de la voiture. Il était plus de midi et elle n'avait encore ni dormi, ni mangé. Bientôt, elle pourrait enfin se reposer, mais elle devait d'abord trouver Matt.

Depuis l'aube, ils n'avaient eu aucune possibilité de se parler seule à seul. Il avait fallu rassurer Jeb, puis les Johnson, presque aussi choqués que le petit garçon ; ressasser toute l'affaire dans les locaux de la police ; attendre que les rapports soient transcrits pour pouvoir les signer.

Matt avait trouvé un bon avocat pour J. J. et contacté tous ceux qui lui devaient une faveur dans le milieu judiciaire, afin de s'assurer que l'adolescent aurait toutes ses chances. Gem avait accepté de ne pas porter plainte, mais l'enlèvement des jumelles ne pouvait être ignoré, et il y avait la procédure suite à la prise d'otages. Enfin, au moment où tout semblait terminé, il y avait eu un coup de fil de l'hôpital. Savannah venait de reprendre conscience.

Au lieu de rentrer, Caroline avait emmené Jeb voir sa mère. Survolté, le petit put lui raconter ses aventures dans une tirade haletante, remplie de rebondissements ; pendant ce temps, Caroline fournissait discrètement les explications nécessaires. Savannah semblait tout enregistrer et, loin de se préoccuper uniquement du bien-être de son fils, s'inquiétait de Caroline, de Matt et même de J. J. Quel soulagement de la voir bien réveillée, lucide et pleine de compassion comme toujours ! Encore un souci qui s'en allait, mais en s'en allant, ces tensions emportaient toute sa vitalité.

Comme dans un rêve, elle marcha vers la maison. Jeb trottait devant elle en expliquant à qui voulait l'entendre que sa maman allait très bien et qu'elle le trouvait très courageux. Pourquoi, d'ailleurs, y avait-il tant de monde ? Un homme très grand, un marteau à la main, une ceinture hérissée d'outils à la taille, enleva le petit dans ses bras au moment où il allait se prendre les pieds dans une palette d'ardoises. Sans surprise particulière, elle reconnut Riley Townsend, un ami de la brigade de Matt, à Port Kingston. Jeb se raidit, mais les mains de Riley étaient douces, et il l'emmena faire la connaissance de sa fille Alyssa qui, inexplicablement, se trouvait là aussi. Caroline fut heureuse de voir que Jeb se détendait vite, et que cette nuit terrible ne lui avait pas rendu toute sa méfiance envers les inconnus.

Là-bas, Gem venait d'émerger de la maison, une jumelle agrippée à chaque jambe, un plateau de cookies dans les mains. S'installant sur les marches de la véranda, elle rassembla tous les enfants autour d'elle et se mit à leur lire une histoire. Bientôt, peut-être, la jeune fille et ses petites vivraient ici avec elle. Puisqu'elle se débrouillait si bien avec la population enfantine, Caroline revint à son idée première et se mit à la recherche de Matt.

Son mari restait introuvable, mais elle ne cessait de croiser des inconnus. Il y avait la brigade des maîtres-chiens au grand complet, y compris Paige et Marco.

— Dites-moi juste deux choses…, leur demanda-t-elle en contemplant, dépassée, l'animation qui l'entourait. Qui sont tous ces gens, et que font-ils à ma maison ?

— Tu as fait la une de l'actualité, petite sœur, répliqua Paige. En un sens, tu peux remercier ton fameux J. J. Aux infos, en couvrant la prise d'otages, ils ont beaucoup parlé de ce que tu cherchais à faire ici, de ton centre pour les enfants à problèmes. On n'avait pas encore démantelé le matériel de surveillance que les gens commençaient déjà à se présenter pour donner un coup de main.

— Un coup de main pour quoi ?

Elle était sans doute stupide… en tout cas trop fatiguée pour comprendre. A moins que le fait de voir tous ces gens se mobiliser pour elle n'empêchât son cerveau de fonctionner correctement ?

— Pour te remettre le pied à l'étrier ! répondit Paige. Tu vas voir, on te fera passer ton inspection dans les temps !

Marco essuyait soigneusement un outil à la forme bizarre.

— D'ailleurs, l'inspection n'a plus beaucoup d'importance, précisa-t-il. Les gens n'arrêtent pas de téléphoner aux télévisions locales pour verser des fonds.

— Des fonds ?

— Oui. Même si tu ne travailles pas cet été, tu auras de quoi voir venir.

Elle secoua la tête, abasourdie, incapable d'assimiler ce qu'elle entendait.

— Et vous deux ? demanda-t-elle. Vous n'étiez pas censés être à Aruba ?

— On était à l'aéroport quand on a appris ce qui se passait ici. Certaines choses sont plus importantes qu'une lune de miel.

Marco s'essuya le front, souleva sa caisse à outils et lui lança un sourire dévastateur.

— Pas beaucoup, mais il y en a quand même...

Sans cesser de sourire, il posa une main possessive sur le postérieur de sa femme. Quand elle l'écarta d'une claque bien sentie, il prit un air innocent pour exhiber le clou qu'il venait de sortir de sa poche arrière. Paige se mit à pouffer, et Caroline s'attarda le temps de leur demander s'ils avaient vu Matt, avant de les laisser en tête à tête. Derrière elle, les rires se transformèrent en murmures tendres.

Elle finit par trouver Matt près de l'étang. Elle aurait dû y penser tout de suite ! Il l'attendait sous leur saule pleureur, étendu sur une couverture posée dans l'herbe douce du printemps. Des flèches de soleil traversaient le rideau des branches, posant des taches de lumière sur ses cheveux dorés, la peau bronzée de sa poitrine, ses pieds nus. L'un de ses bras était replié derrière sa tête, son autre main soutenait le petit derrière de Hailey, à plat ventre sur sa poitrine. La brise qui chuchotait dans les branches souples berçait leur sommeil.

Cette image, elle la chérirait à tout jamais. Les voir tous les deux ensemble, le père et la fille... c'était mieux que tout ce dont elle avait pu rêver.

Elle serait restée là indéfiniment à les contempler si Matt n'avait pas ouvert les yeux. Longtemps, ils se regardèrent sans un geste ; pour la première fois depuis très longtemps, il lui sembla qu'ils se voyaient vraiment.

Un léger sourire apparut sur la bouche bien dessinée de son mari.

— Savannah ? murmura-t-il.

— Ça va.

— C'est bien.

— Je suis désolée de t'avoir réveillé.

— Pas moi.

— C'était gentil de t'occuper de Hailey pendant que j'étais là-bas.

— Normal...

Incapable de supporter l'intensité de son regard, elle détourna la tête. Quand ils osaient s'ouvrir l'un à l'autre, les émotions s'engouffraient immédiatement dans la brèche ! Elle fixa les bouts noircis de ses chaussures de toile, en attendant qu'il dise autre chose, qu'il fasse un geste... Il attendait aussi. Bientôt, son regard revint vers lui malgré elle, sa présence l'attirait comme un aimant, il était trop émouvant, allongé là, torse nu, les cheveux en désordre, son bébé sur la poitrine.

Il bougea la tête et son visage se retrouva dans l'ombre. Elle crut pourtant voir son sourire s'élargir un peu.

— Tu as l'air fatiguée, murmura-t-il. Viens près de nous.

Il lui tendit la main. Effrayée tout à coup, elle eut envie de battre en retraite. Elle savait qu'ils devaient parler, tous les deux, mais était-elle vraiment prête à l'entendre ? Prête à découvrir, sans doute, bien des choses sur elle-même ?

Surmontant son angoisse, elle s'avança, s'allongea sur la couverture à côté de lui. Il retira son bras de sous sa tête pour lui en faire un oreiller ; lentement, en silence, il se mit à passer les doigts dans ses cheveux. Elle ne parvenait pas à se détendre : trop de fatigue, trop d'émotions l'accablaient… Bientôt, pourtant, la chaleur du soleil, la présence du corps de Matt la réchauffèrent… et réveillèrent son courage.

— Pourquoi est-ce que tu ne m'as pas dit ? demanda-t-elle.

Au-dessus de son visage, les branches souples du saule se balançaient devant le soleil, dans une alternance d'ombre et de lumière.

— Pourquoi ne pas m'avoir dit ce que tu endurais ?

— J'essayais. Je voulais te le dire.

— Mais… ?

Matt soupira et ses doigts, dans ses cheveux, ralentirent leur mouvement hypnotique.

— Tu avais perdu autant que moi. Je ne voulais pas te faire porter un poids supplémentaire.

Elle laissa sa tête retomber sur le côté pour pouvoir le regarder. Cette fois, ce fut lui qui détourna les yeux.

— Me faire porter un poids… ? Matt, j'étais ta femme.

— Et j'étais ton mari. Il m'a semblé…

Elle sentit une nouvelle tension dans le bras qui soutenait sa tête.

— Il me semblait que je devais garder ça pour moi, reprit-il. Tenir le coup. Pour toi.

272

— *Pour moi ?* répéta-t-elle, incrédule. Tu as pensé que ça m'aiderait, si tu te coupais de moi ?

Atterrée, elle secoua la tête.

— Tu n'as même jamais pleuré pour lui…

Son visage se tourna brusquement vers le sien, ses yeux lancèrent un éclair.

— Tu ne m'as jamais *vu* pleurer. Ce n'est pas la même chose.

— Et même après mon départ, tu pensais toujours que tu devais jouer les hommes de marbre ? C'est pour ça que tu m'as laissée partir ? C'est pour ça que tu voulais divorcer ?

— Tu étais mieux sans moi.

— Pour l'amour du ciel, Matt ! J'ai l'impression d'entendre J. J.

— Je *suis* J. J. Je suis aussi son père.

Il prit une grande respiration tremblante, et sa main dans ses cheveux se transforma en poing. Puis Hailey poussa un petit soupir et il exhala lentement en tapotant avec douceur sa couche.

— Non, murmura-t-il, *j'étais* J. J. Je m'en voulais trop, il me semblait que je n'avais plus le droit de t'aimer, ou d'être aimé en retour.

Délicatement, sa main caressa le petit dos du bébé, qui se détendit sous sa paume. Quand sa fille se blottit contre lui, il faillit sourire.

— En tout cas, je ne pensais pas avoir droit à *ça*…

— Ce ressenti avait un nom, Matt, c'était une dépression. Tu le savais, tu l'avais souvent vu chez tes collègues. Pourquoi n'avoir pas demandé de l'aide ?

— Parce que je ne voulais pas qu'on m'aide. C'est bien ça le pire, Caroline : quand on est tout au fond, on n'a pas

obligatoirement envie d'en sortir. On veut seulement…
que ça s'arrête.

Elle resta silencieuse quelques instants, laissant s'installer
en elle la signification des mots qu'il venait de prononcer.
Puis elle se tourna sur le flanc, posa la main sur sa joue
pour l'empêcher de détourner la tête, et demanda :

— Est-ce que tu as jamais essayé de tout arrêter ?

Ses yeux verts soutinrent son regard.

— Tu veux dire, est-ce que je suis allé jusqu'à sortir
mon arme ?

Elle approuva de la tête. Beaucoup de policiers finis-
saient de cette façon — beaucoup trop. La pensée que
Matt aurait pu être de ceux-là la faisait frémir. Couvrant
sa main de la sienne, il répondit :

— Non.

Le soulagement s'engouffra en elle, déborda de ses
yeux, et inonda ses joues.

— Merci, dit-elle.

— De quoi ?

— De n'avoir pas renoncé.

Il frotta doucement sa main entre les siennes.

— Merci à toi…

Comme elle le regardait sans comprendre, il
expliqua :

— J'ai vécu des journées terribles, Caro. Je me sentais
vraiment perdu, mais chaque fois que je m'engageais sur
ce chemin-là, je crois bien que je me mettais à penser à
toi. Au fond, je n'ai jamais dû perdre l'espoir qu'un jour
je te retrouverais.

— Et maintenant que tu es ici ?

— Je vais bien. Vraiment bien. Je crois que j'étais sorti
d'affaire depuis un moment déjà — comme un chien qui
continue à marcher sur trois pattes après la guérison de

sa fracture, parce qu'il a peur d'avoir mal. Je n'avais pas compris que j'étais guéri avant de venir à Sweet Gum. Avant de me retrouver face à toi... et Hailey.

Du pouce, il lui caressa les lèvres, et se mit à rire. Elle eut un peu peur : comment pouvait-il passer d'une telle tristesse à une telle légèreté ? Pourtant, c'était un rire qui sonnait juste...

— Qu'est-ce qui est si drôle ? demanda-t-elle en souriant malgré elle.

— Toi, quand tu pensais que je voulais prendre soin de toi parce que tu étais ma responsabilité. Comme si c'était juste une charge, une tâche obligée...

Elle voulut protester mais il la fit taire en posant ses lèvres sur les siennes.

— Tu ne crois plus ça, j'espère ? demanda-t-il.

— Non.

Le passé se métamorphosait sous ses yeux. Oui, elle était enceinte quand il l'avait épousée... mais il l'avait effectivement épousée, il était resté auprès d'elle, pour le meilleur et pour le pire, en lui montrant son amour à sa façon.

— Bien ! dit-il en riant de nouveau. Et moi qui pensais que je devais te protéger ! Tu n'as jamais eu besoin de ma protection, Caroline, tu es la femme la plus forte que je connaisse.

Posant doucement Hailey un peu à l'écart, il roula vers elle, caressa ses cheveux et lui pétrit doucement la nuque. Il était si proche qu'elle sentait son souffle sur sa bouche.

— Je t'aime, Caroline, déclara-t-il avec passion. Je t'ai toujours aimée. Pas par sens du devoir, mais pour toi. Tu étais ma raison de sortir du lit chaque matin, et de faire en sorte de rentrer de patrouille entier.

— Matt...

— Attends, je n'ai pas terminé !

Sa véhémence lui arracha un sourire ému. Quand son mari se décidait à exprimer ses sentiments, il ne faisait pas les choses à moitié…

— Tu es ma meilleure raison de continuer à vivre. Toi et Hailey : toutes les deux. Quel que soit le temps qui me reste à vivre, et j'espère que ce sera long, je veux le passer avec vous. Ici.

Le dernier mot la stupéfia encore plus que tout le reste.

— Ici ?

— Tu es en train de créer quelque chose de particulier, quelque chose qui vaut vraiment la peine, pour toi comme pour les enfants dont tu vas prendre soin. Je ne te demanderai pas d'y renoncer.

Une sensation tout à fait nouvelle l'envahit, de chaleur et de plénitude. La dernière pièce d'elle-même venait de trouver sa place. Son rêve… Non pas son rêve d'être une épouse ou même une mère : son rêve d'être elle-même, et d'accomplir quelque chose de précieux.

— Mais ton travail ? demanda-t-elle.

Il lui lança un sourire.

— En fait, ça fait un certain temps que j'y pense. Il n'y a pas assez de policiers au Texas avec la formation nécessaire pour faire ce que je fais.

— Tu peux le dire…

— J'ai discuté avec des collègues au Département de la Sécurité publique…

— La police d'Etat ?

Il approuva de la tête.

— Et l'idée d'organiser des formations sur tout le secteur les intéresse. Devine qui ils veulent comme instructeur ?

— Toi ? Matt, c'est fantastique !

— Je ne serais pas complètement sur la touche, car on ferait toujours appel à moi pour les grosses affaires, mais le plus clair de mon temps se passerait à enseigner. Ils me laissent beaucoup de latitude pour l'emplacement du centre de formation. Pourquoi pas à Sweet Gum ?

Elle se jeta dans ses bras, tâchant de ravaler son émotion.

— Tu es sûr que c'est bien ici que tu veux être ?

Il s'écarta d'elle, repoussa une mèche de sa joue.

— Quel meilleur endroit que là où tout a commencé ?

Elle se laissa aller sur le dos pour se remplir les yeux du ciel très bleu, de l'étang couleur d'ardoise, des branches souples du saule. Son regard s'arrêta sur les lettres gravées dans le vieux tronc. *M.B. aime C.E.* Quelque chose avait changé, la couleur blonde du bois frais tranchait sur l'écorce grise. On avait modifié l'inscription, la dernière initiale était devenue un B. Elle se retourna vers lui, perplexe.

— « Matt Burkett aime Caroline... Burkett » ?

— Exactement, dit-il avec un sourire.

Ce n'était pas le seul changement : sous la proclamation d'origine, il avait ajouté un mot, en grandes lettres bien découpées. *TOUJOURS.*

Elle noua les bras autour de son cou et l'attira tout près.

— Oh, Matt ! Moi aussi, je t'aime pour toujours.

Il embrassa son menton, ses joues, puis ses yeux. Elle s'accrocha à lui, exigeant davantage. Il s'écarta pourtant, saisit son visage entre ses paumes et lui demanda, les yeux dans les yeux :

— Tu veux bien que nous restions mariés ? Tu veux bien que nous créions un foyer pour Hailey, les jumelles, Gem et... tous ceux qui arriveront peut-être par la suite ?

— Tous ceux... ? répéta-t-elle, interdite.

Il haussa les épaules avec désinvolture.

— On ne sait jamais...

— Je veux bien que nous restions mariés, dit-elle en souriant à travers ses larmes. Toujours.

Posant un baiser sur le bout de son nez, il répéta :

— Toujours.

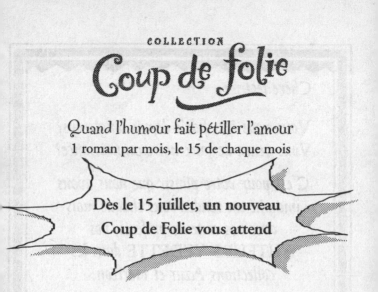

COLLECTION

Coup de folie

Quand l'humour fait pétiller l'amour
1 roman par mois, le 15 de chaque mois

Dès le 15 juillet, un nouveau
Coup de Folie vous attend

Tête-à-tête amoureux, par Jennifer Drews - n°13

Kim n'a qu'une idée en tête : gagner au plus vite Phoenix, où sa sœur l'attend. Oui, mais voilà, quand le destin s'en mêle, un simple voyage peut devenir une véritable épopée ! Et pour Kim, les ennuis commencent à l'aéroport, quand sa valise remplie de sous-vêtements a la très mauvaise idée de répandre son contenu sur le sol... C'est précisément à ce moment-là qu'elle rencontre Rick, un séduisant voyageur qui, bon gré, mal gré, devient son nouveau compagnon de voyage... et de fortune !

Chère lectrice,

Vous nous êtes fidèle depuis longtemps?
Vous venez de faire notre connaissance?

C'est pour votre plaisir que nous avons
imaginé un rendez-vous chaque mois
avec vos auteurs préférés, vos
AUTEURS VEDETTE dans les
collections Azur et Horizon.

Les AUTEURS VEDETTE vous
donneront rendez-vous pour de
nouveaux livres vedette.

Pour les reconnaître, cherchez
l'étoile... Elle vous guidera!

Éditions Harlequin

COLLECTION HORIZON

Des histoires d'amour romantiques qui vous mènent au bout du monde!

Découvrez la passion et les vives émotions qu'apportent à la Collection Horizon des auteurs de renommée internationale!

Captivantes, voire irrésistibles, ces histoires d'amour vous iront assurément droit au coeur.

Surveillez nos quatre nouveaux titres chaque mois!

La COLLECTION AZUR

Offre une lecture rapide et

- ☑ stimulante
- ☑ poignante
- ☑ exotique
- ☑ contemporaine
- ☑ romantique
- ☑ passionnée
- ☑ sensationnelle!

COLLECTION AZUR... des histoires
d'amour traditionnelles qui vous
mènent au bout du monde!
Six nouveaux titres chaque mois.

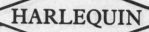

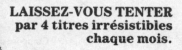

69 **L'ASTROLOGIE EN DIRECT**
TOUT AU LONG
DE L'ANNÉE.

(France métropolitaine uniquement)

Par téléphone 08.36.68.41.01

0,34 € la minute (Serveur SCESI).

Composé et édité
PAR LES ÉDITIONS HARLEQUIN
Achevé d'imprimer en juin 2003

BUSSIÈRE

GROUPE CPI

à Saint-Amand-Montrond (Cher)
Dépôt légal : juillet 2003
N° d'imprimeur : 32917 — N° d'éditeur : 9981